A AGENDA

JOÃO VARELLA

A AGENDA
O acaso tem suas próprias regras

Copyright © 2013 Editora Novo Conceito
Todos os direitos reservados.

Esta é uma obra de ficção. Os nomes, personagens, lugares e acontecimentos descritos são produto da imaginação do autor. Qualquer semelhança com nomes, datas e acontecimentos reais é mera coincidência.

1ª Impressão – 2013

Produção Editorial:
Equipe Novo Conceito
Impressão e Acabamento RR Donnelley 130913

Este livro segue as regras da Nova Ortografia da Língua Portuguesa

Dados Internacionais de Catalogação na Publicação (CIP)
(Câmara Brasileira do Livro, SP, Brasil)

Varella, João
  A agenda / João Varella. -- Ribeirão Preto, SP: Novo Conceito Editora, 2013.

  ISBN 978-85-8163-292-6
  1. Ficção brasileira I. Título.

  13-06039   CDD-869.93

Índices para catálogo sistemático:
1. Ficção : Literatura brasileira 869.93

Rua Dr. Hugo Fortes, 1885 — Parque Industrial Lagoinha
14095-260 — Ribeirão Preto — SP
www.editoranovoconceito.com.br

Para una chica rosa a quien quiero mucho.

Prefácio

(...) Felipe descobriu que tinha algo em comum com sua chefe: ambos não liam ficção. Prefeririam livros úteis.

A chefe de Felipe, a tal que prefere livros úteis, se chama Sandra. Porém, à medida que as páginas avançam, Sandra vai descobrir a poesia. E a poesia mudará a vida de Sandra. Num breve resumo, eis *A agenda*.

Assustou? A certa altura da narrativa, eu também. Poucas coisas me causam tanta náusea quanto a redenção através da fofura. Da "vida simples." (Ou do "mais amor, por favor", para soar mais contemporâneo.) Não apenas por constituir um lamentável clichê mas, principalmente, pelo fato de postular uma ridícula infantilização do que, no fim das contas, significa viver. Felizmente, João Varella sabe disso. Sim, João Varella sabe muito bem disso. E conseguiu, em sua obra de ficção de estreia, fazer com que eu atingisse o mais alto grau de prazer que posso extrair de um livro: o prazer de me sentir um completo idiota.

Assustou de novo? Não, não me entenda mal. Não ocorreu nada do tipo "ah, que idiota eu sou, como pude gastar preciosas horas da minha vida com ISTO?". Nem de longe. Mesmo porque *A agenda* é leitura das mais agradáveis. Deixe-me explicar melhor, partindo da conhecida definição de Marcel Proust para um livro como mero instrumento óptico. Aquele que possibilita ao leitor discernir, em si próprio, algo que até então não conseguira identificar com clareza. "Todo leitor é leitor de si mesmo", escreveu o francês.

É disso que estou falando. Porque, particularmente, prefiro os livros que me obriguem a *ler em mim mesmo* minhas arestas, meus erros. Quanto mais graves, melhor. Um violento murro em minha soberba intelectual é grave? Gravíssimo. Daí o enorme prazer ao final de *A agenda*, ainda zonzo pela surra imposta por João. E o melhor: ele conseguiu isso sem utilizar nenhum recurso fácil ou óbvio. Nada de ironia agressiva ou provocações nervosinhas. Nada, nada. Construiu seu nocaute com enorme sutileza. Mal abri os olhos e lá estava eu, estirado na lona bem ao lado da protagonista.

O que foi? Você acha que esse papo de buscar desconforto está fora de moda? Concordo. Totalmente fora de moda. Vivemos na era do entretenimento. Da diversão. Do cafuné em nossas certezas e escolhas. São tantas as preocupações do dia a dia, não é mesmo? Tanta correria. Pra que sofrer mais, não é mesmo? Concordo, concordo. Sandra também concorda. Assim como Felipe e os demais personagens do livro, todos seguindo imersos em vidas que mais parecem mal diagramadas apresentações em PowerPoint, repletas de animações duvidosas para driblar o tédio e o vazio. Chart após chart, dia após dia. E...

Nos dias quotidianos
É que se passam
Os anos

... como eu mesmo escrevi, num despretensioso hai kai de algum tempo atrás. É este o mundo de *A agenda*.

Emoções rasas, anseios mesquinhos, sonhos planos. Um mundo próximo, bem próximo ao nosso. Conheço algumas Sandras, alguns Felipes. Você também, pode ter certeza. E, se tal proximidade já seria suficiente para causar desconforto, este se vê totalmente eclipsado pelo mal-estar gerado ao final do livro. Que o leitor minimamente atento não apenas sentirá de imediato como também perceberá a brilhante engenhosidade com a qual João nos conduziu até ele.

E chega de prefácio. Vai, vai. Comece a ler *A agenda* e junte-se logo a mim no grupo dos completos idiotas.

Gustavo Piqueira
[Escritor e designer]

1

Dois bebuns caminhavam escorados um no outro na viela ao lado do hotel. As passadas eram sincronizadas, mas um tropeçava nas pernas do outro a cada tanto. Às gargalhadas e falando sem parar entre um gole e outro, seguiam rumo desconhecido. Fora essa dupla de vagar ziguezagueante, tudo era silêncio na madrugada de Barbate, na Espanha.

Até o mar parecia descansar. Há quatro horas e meia, o céu estrelado da praia era tomado por estouros e fogos que fariam inveja à Faixa de Gaza, verdadeira tortura para os cachorros, velhos ou recém-nascidos. Agora, era apenas Sandra na sacada do hotel, uma taça de champanhe morno, dois bêbados lá embaixo, seu roupão de seda, a maquiagem borrada e um amante na cama *king size*. Ele dormia, o que contrariava metade da fama e autopropaganda de "incansável atleta sexual".

Uma taça em uma mão, a garrafa com mais uns goles na outra, Sandra vai até o banheiro. Encara o espelho.

Passa um tempo fitando seu reflexo, em um leve devaneio ébrio. Se estivesse na rua com uma amiga, estaria cantando como a dupla recém-vista? Percebeu que seu corpo tem a forma de uma gota gigante. Por isso não tinha do que reclamar do novo namorado. Um esportista derrotado, modelo frustrado que ganha a vida dando aulas de surfe. Nada mau para uma quarentona com uns quilinhos a mais, de cabelo tingido e sem cirurgias ou perfurações — salvo os furos nas orelhas para os brincos, mas isso não conta. Sandra aprendeu a compensar suas fraquezas com peripécias no leito dignas de uma Silvia Saint. Deixava sempre *ele* fazer o que quisesse. Se tivesse pouca imaginação, ela dava uma mãozinha.

Reparou em um hematoma no pescoço. Mordeu o lábio inferior e acariciou a marca. Tinha outra dois dedos acima do mamilo direito.

— Safado — sussurrou.

O ex-modelo se mexe na cama. Segue no quinto sono. Sandra sorri. Pescou um belo peixe em sua passagem por Bariloche nas férias de inverno. Exige cuidados dispendiosos, é verdade, mas nada como ter alguém para passar o *réveillon*. Ia para a cama sempre de meias. Esses detalhes não importavam, mas a mente de Sandra parecia latejar de curiosidade em curiosidade sobre o amante e ela mesma. Se tiver a barriga durinha, de tanquinho, melhor ainda. Sandra tinha barriga de centrífuga. Agora ria ao se lembrar da piada da filha, mas no momento em que a ouviu, havia um ano, não se sentira tão bem.

Sandra se aproxima da cama. Acaricia seu par suavemente, com as costas da mão. Ele vira o corpo, e Sandra se deita ao lado do surfista, confortável, com os braços e as pernas de ambos se roçando suavemente. O celular toca. Devia ser alguém do Brasil querendo desejar "boas entradas". Toca, mas Sandra permanece estirada.

— No dois eu vou.

O celular repete seu toque nostálgico, que simula uma campainha de telefone antigo.

— Um. — Passa um tempo, o som de uma onda quebrando faz o fundo. — Dois.

Sandra tenta se levantar, mas tem suas costas pressionadas pela ampla palma da mão do surfista.

— Fica. Pode ficar aqui.

2 e 3

— Ah, ele fala coisas meio sem noção. Em um debate bobo da faculdade sobre um filme, de repente ele me saiu com uma assim: "terno e gravata é uma afronta à criatividade do ser humano na hora de se vestir". Meio sem noção das coisas, sabe? — descrevia Márcia, com sua fala rápida e com algumas redundâncias que faziam sua oratória ficar mais clara.

— Um idealista — tentou resumir Sandra, desviando o olhar para a janela. Quem conhecia Sandra sabia que esse era um sinal de que ela estava com a cabeça em outro lugar. Não que estivesse desdenhando da conversa, mas era o típico caso em que ela podia usar parte de sua concentração em outros assuntos.

— É. Mas gente boa, gente boa. Está entusiasmado com a vaga. Parece que sempre que passa por aqui pelo prédio e... — Márcia perdeu o fio da meada ao perceber o hematoma no pescoço de Sandra. *Ela nem disfarça. E isso porque tem tempo de se maquiar. Sempre vem com esse visual levemente* pin-up, *de batom puxando pro vermelho, delineador na diagonal...*

— Sim? — perguntou Sandra, sem entender por que a frase ficara inacabada.

— Ah, ele sempre aponta e diz que é o lugar onde vai trabalhar e tal. Está empolgado — continuou Márcia, balançando as pernas enquanto se sentava sobre a mesa de Sandra, em clima de total informalidade.

— O currículo é bom. Se for como você disse, vamos ficar com ele, então — completou Sandra, voltando o olhar para sua mesa. Era a senha para Márcia voltar ao seu trabalho e se afastar dos biombos da coordenadora de marketing da Germano Thomas S.A. Ela já tinha obtido todas as informações que julgava necessárias.

●

Uma hora mais tarde, minutos antes do horário marcado, Felipe passava pela portaria do espelhado prédio da Germano. Apresentou-se para a secretária do departamento de marketing como o novo estagiário. Falava baixo, com um sorriso no rosto tão genuíno quanto um Rolex vendido no camelô. A secretária mandou-o se sentar.

Nos dez minutos de espera, Felipe percorreu o ambiente com os olhos. Quando se cruzavam, os colegas de trabalho perguntavam, sorrindo: "tudo bem?". Ninguém dizia que "sim". A resposta padrão era redarguir com outro "tudo bem?" oco. As duas palavras poderiam ser substituídas por um "olá" ou um "opa" sem nenhum tipo de prejuízo de sentido, mas era parte da etiqueta corporativa simular, com essas duas palavras, preocupação.

A atitude estava em consonância com a decoração branca daquele escritório em forma de L. A recepção ficava na perna pequena do L e se resumia à bancada de Edilene, com telefone, panfletos e um fax, que poderia render uma boa piadinha com a chefa. Felipe ensaiava em sua cabeça algum chiste envolvendo um *pager*. A outra parte do escritório tampouco tinha paredes. Biombos cor de pele de pouco mais de um metro davam alguma ordem e privacidade ao ambiente. Felipe esticou o pescoço para ver Sandra no fundo da sala, que tinha o pé direito alto. *Com todo aquele espaço, só pode ser ela a chefa.*

Cantarolando "Trem das Onze", o porteiro entrou no escritório. Parecia não se importar com a atenção que atraía sua voz desafinada. Felipe sorriu para ele, deu um bom-dia inaudível. Não recebeu resposta do empregado, que deixou um calhamaço de correspondências e revistas na mesa de Sandra. O ambiente parecia impregnado de um ar plástico.

— Pode ir — disse a secretária com tom de voz robótico. Sinal verde para começar a entrevista de emprego. Felipe ajeitou pela enésima vez as mangas da sua camisa azul-clara, que agora lhe pareciam demasiadamente longas.

— Sente-se — disse Sandra, sem tirar os olhos da tela do *laptop* que estava sobre a mesa. Felipe se acomodou e permaneceu em silêncio por rastejantes 25 segundos. Tempo suficiente para passear os olhos sobre os papéis e apetrechos da mesa impessoal da marketeira chefe. Nada de porta-retratos ou decoração. Apenas papéis, calculadoras, telefone, entre outros objetos dispostos como se fosse a banca de um jogo de baralho, pronto para distribuir as cartas aos apostadores. O perfume de Sandra era interessante, nada daquela doçura chamativa que as adolescentes colegas de classe de Felipe usavam.

Ao lado do computador pairava uma agenda aberta com uma tira de elástico sobre a data do dia. "Entrevista com novo estagiário" estava marcado ao lado de 14h.

Às 14h15 teria encontro com Alfredo qualquer coisa — o sobrenome devia ser polaco. Quinze minutos para conversar com a nova chefa parecia um nada. Felipe queria mais para aprender e ter um desempenho de excelência, conforme havia se prometido nos exercícios que fizera do último livro de gestão de carreiras que lera.

O olhar de Felipe passeava. Perto do cotovelo esquerdo de Sandra havia uma pilha de revistas. Pela capa da primeira e pela lombada das que estavam logo abaixo, pôde ver que a maioria era de fofoca de celebridades ou temas femininos. Nos finos óculos de Sandra, a tela do computador se via refletida.

Sandra percebeu o olhar inquieto do rapaz, que agora olhava para o pingente do seu colar, e fechou o *laptop*.

— Agora sim, vamos conversar. Eu sou Sandra. E você deve ser o...

— Felipe Ramos, muito prazer — completou o rapaz, estendendo uma cópia do currículo.

— Não precisa, ainda tenho a cópia que você mandou por e-mail. Em primeiro lugar, obrigada pelo seu interesse pela vaga. Acho que você não vai ter nenhum problema aqui. Não tenho muito tempo agora pra te passar tudo o que você deve fazer nesse mês em que você vai trabalhar aqui. Adoraria fazer uma integração mais formal, mas, sabe como é, início de ano, as coisas já começam na correria. Você sabe bem como é constituído o grupo, as empresas que fazem parte do GT?

Os empregados da Germano apelidaram a companhia de GT, sigla que já tinha ares de oficial e transformista em termos de gênero, pois, de vez em quando, era referida no masculino e, outras vezes, no feminino. Uma linha de computadores — ramo da empresa mais distante da educação — adotava as letras. Felipe e seus colegas de faculdade chamavam a empresa, a holding e tudo o que saía dela de "Germanão".

— Sei, sim.

— E você sabe o que é *checking*? — prosseguiu Sandra.

— Segundo o que aprendi na faculdade, é ver se os anúncios programados saíram bem, conforme a mídia comprada, tanto em tamanho, qualidade de impressão e data acordada — respondeu Felipe, em tom sério. Sandra tentou se mostrar interessada, mas não conseguiu disfarçar seu total desinteresse pelo palavrório acadêmico.

— Márcia. Você pode vir aqui um segundo, querida? — falou Sandra, virando sua cabeça em direção ao outro lado do escritório. Deixou exposto o hematoma no pescoço. — A Márcia vai te ensinar tudo e supervisionar o seu trabalho, te ensinar o passo a passo todo certinho.

Quando viu quem era a tal Márcia, Felipe franziu a testa. Abria e fechava a boca como se estivesse ensaiando dizer algo.

— O que você está fazendo aqui? — finalmente conseguiu concatenar, em um tom de voz diferente da firmeza que se esforçava para impor na conversa com Sandra.

— Ora, eu tenho minha carteira assinada pela Germano. O senhor é que tem de me dizer qual é a sua desculpa pra estar aqui. — O detalhe "carteira assinada" era extremamente valorizado e desejado entre os estudantes de Publicidade e Propaganda. E invejado.

No momento em que viu Márcia, Felipe passou a duvidar se tinha feito uma boa escolha.

Márcia era uma jovem esguia, que parecia caminhar sem tocar o chão enquanto seu cabelo escuro balançava. Tinha os olhos arregalados, como se tivesse levado um grande susto e nunca se recuperado.

Era colega de faculdade de Felipe. Ele se candidatara para a vaga de estágio que, no ano anterior, fora de Márcia, até que ela ganhou uma promoção e foi efetivada.

— Vocês já se conhecem? — perguntou Sandra, ao perceber os "ois" trocados e as expressões dos dois.

— Eu sou caloura dele na faculdade — respondeu Márcia, a única entre os três que parecia manter um sorriso natural.

— Ah, que bom — comentou Sandra, agravando e compreendendo o desgosto de Felipe. Uma caloura vai mandar em um veterano no escritório. Interessante.

Felipe não parava de pensar no que ela havia feito para estar acima dele. Estava longe de ser dos alunos mais festivos de sua turma, mas se lembrava vivamente de Márcia no dia do trote, uma entre as muitas jovens filhinhas de papai cheias de dúvidas sobre como é a vida acadêmica. A calorosa recepção dos veteranos envolvia ovos, farinha e brincadeiras lascivas; não houve nenhum tira-dúvidas.

Devia ser parente de alguém, só podia. Felipe descobriria, no dia seguinte, que Márcia e um professor da Germano trocavam mensagens esporadicamente por meio de uma rede social. Provavelmente aí estaria seu bilhete de entrada para o emprego.

O telefone de Sandra tocou. No segundo chamado, Edilene surgiu correndo, interrompendo a conversa dos três.

— É aquele cara do jornal — disse, logo correndo de volta para sua mesa na recepção. Márcia levantou as sobrancelhas para Sandra, sem perder o sorriso maroto.

— Lá vamos nós — falou Sandra pouco antes de apertar o viva-voz. Assim, Felipe e Márcia podiam testemunhar Sandra atender o jornalista Barbosa Neto com tons humilhantemente doces.

— Alô, Sandra? Só ligando pra te desejar um feliz ano novo e para ver se podemos marcar aquela conversinha — disse o jornalista, aparentemente de joelhos do outro lado da linha. Tinha a voz levemente afetada

— Conversinha? Que conversinha? Eu não sou artista nem nada pra um jornalista de renome querer conversinha comigo — respondeu Sandra, colocando a língua para fora e fechando os olhos. Márcia se divertia. Felipe tentava se entrosar.

— Você sabe bem que a gente tem muito pra conversar, né, querida? Queria vinte minutos do seu tempo em um café ou bar. É tudo.

— Claro que esses vinte minutos se transformarão sem esforço em uma hora.

— Se assim você desejar, é claro. O tempo voa quando conversamos.

— Obviamente que não falaremos nada daquela sócia da Germano.

— Nada que você não queira. Ou não possa falar.

— OK, você ganhou vinte minutos de pura decepção e frustração, Barbosa. — Sandra passou algumas páginas da agenda. — Terça que vem, às 10h, no França Café aqui perto. Lá eu garanto que você não vai perder a viagem.

— Você jura?

— Claro! O *cappuccino* deles é excelente, você vai adorar.

O jornalista forçou algumas risadas. Despediram-se:

— Tchau, meu ursinho. Woofy.

— Rá, rá, rá, rá, woofy pra você também.

Desligaram.

— Acho incrível como eles insistem com você. Nossa, eu já tinha mandado pra longe — comentou Márcia.

— Paciência é uma virtude. Mas, vamos lá, mostre pra ele onde fica a mesa e todos os materiais, pois eu tenho outro compromisso agora. Felipe, é um prazer ter você em nossa equipe — disse Sandra, estendendo a mão para o estagiário e logo caminhando para a saída da sala.

Márcia introduziu o neófito para todas as outras seis colegas, todas mulheres.

— Só isso pra cuidar do marketing de todo o grupo? — perguntou o recém-chegado. Márcia contestou, afirmando que o escritório era o núcleo de várias terceirizadas que executavam os serviços. Ela ainda conduziu o novato até uma mesa ampla de pedra cheia de revistas e jornais.

Seria o único dia em que Felipe não sairia do prédio com os dedos lambuzados de cola. Dali em diante, teria de medir os anúncios, recortar e colar em uma folha de papel timbrado, para depois escanear e mandar para Sandra. Os argumentos de Márcia sobre a "superimportância" do *checking* só reforçavam a impressão de Felipe de que morreria de tédio antes do fim do estágio.

●

— Tempestade... descampado... abraço — murmurava Carrano para si enquanto perambulava com trapos rasgados sobre o corpo e duas mochilas tão velhas quanto ele no mesmo quarteirão do pomposo edifício da Germano S.A. Avistou uma padaria do outro lado da rua e, como um míssil teleguiado, foi até o balcão de vidro pedir uma xícara média de café puro. Conforme a tradição dos piores locais, a bebida era fraca e doce. A padaria tinha um ar-condicionado que aparentava não ter o filtro limpo havia anos e funcionários vestindo uniforme na cor bege. Tomou em dois goles o líquido escuro, que respingou por sua vasta barba. Limpou com o pulso e fungou de forma espalhafatosa e quase doentia.

Pronto. Tinha conseguido a atenção dos clientes que ocupavam três mesas da panificadora. Era hora do show.

— A tempestade vem / Caminho pelo descampado / Quero me acolher sem vinténs / Sob pena de perder teu abraço — declamava Carrano para uma mesa de duas atônitas senhoras. Depois dos versos, uma delas ficou estática, enquanto a outra balançava a cabeça, pedindo para ele ir embora. — Você gosta de poesia? Escrevi um livro cheio de versos como esse. Como não tem editora, está barato — implorou Carrano para a mulher paralisada.

— Hoje não — respondeu uma delas. De todas as respostas possíveis, a que mais ultrajava Carrano era essa, a mesma dada a mendigos.

— Posso não me vestir como as pessoas imaginam que um autor deva se vestir, mas nem por isso mereço esse tratamento dispensado a cachorros. Sou um simples escriba que tenta sobreviver de palavras nesta terra de surdos — esbravejava uma resposta visceralmente ensaiada, fazendo-se ouvir até por aqueles que haviam recusado a oferta do poeta de pele corada pelo sol.

Do mesmo jeito que reagiria a um assalto em um semáforo, uma das mulheres abriu a bolsa e estendeu uma nota miúda para Carrano pelas folhas A4 xerocadas.

— É tudo que tenho aqui.

— Obrigado. Tenho certeza de que você não vai se arrepender. Perdão por falar alto assim, mas tem um moleque de 15 anos lá em casa que precisa comer. Não digo isso no início pra não parecer um simples pedinte, mas é a pura verdade. E só me sustento disso, da minha poesia. — falou, já bem mais cordial e ameno.

— Gostaria que eu declamasse mais um trecho pra senhorita? — perguntou, enquanto se inclinava como em uma saudação galanteadora do século retrasado. Como esperado, a resposta foi negativa.

Bem mais discreto, Carrano saiu da padaria e logo na esquina começou a contar o dinheiro arrecadado. O dia parecia auspicioso.

7

É hora de saber como Sandra e o surfista, autor do hematoma no pescoço, que por sua vez movimentava a rádio-peão da GT, se conheceram.

Assim como Sandra, o surfista estava na Espanha para passar o Ano Novo. Na primeira vez em que conversaram, ambos tinham pedido cerveja em um bar na beira da praia. Eles eram do mesmo Estado, mas o surfista pronunciava a letra S com o sotaque típico do Estado vizinho. Talvez até um pouco mais pronunciado que um típico morador da outra região. Sandra até já tinha recebido algumas cantadas na Espanha, inclusive de brasileiros. O surfista não foi imediatamente rejeitado graças à intriga gerada pelo sotaque.

Acabaram a noite juntos no hotel, como acabariam outras dez noites restantes daquela viagem turística. Os dois sozinhos, os dois solteiros, os dois da mesma faixa etária — ele dizia ser surfista, mas o corpo estava claramente acabado. Na verdade, dava bem para acreditar que aquele cara era um EX-surfista, com um belo histórico de posições MEDÍOCRES em campeonatos DESIMPORTANTES. Sandra resolveu divertir um pouco a razão e preteriu suas deduções em prol das doces ondas das façanhas heroicas dele.

A pulsão de se deixar levar pelos sentimentos prevalecia a cada dia em que Sandra percebia mais entrega daquele homem. No começo as bobices do cara a irritavam um pouco. Mas, depois, tudo bem. Ele não era um Tarzan, mas, enquanto fizesse carinhos nas coxas daquela maneira, Sandra topava ser a Jane.

Não tinha nada a ver com questões sexuais. Era o toque, o encaixe que parecia bom. Sexo também, enormemente razoável.

Essa foi a forma como eles se conheceram.

Duas semanas depois de voltar da Espanha, o surfista mandou um e-mail para Sandra. Fazia tempo que Sandra não via ninguém fazer um *approach* por e-mail, já que essa tecnologia estava defasadíssima diante das redes sociais. Pelo menos em termos de relações semissérias. Em termos corporativos, e-mail ainda é coisa séria.

O tal surfista a chamou para sair. Foram. Comeram comida japonesa e ficaram bastante bêbados com o saquê, que era leve só na aparência. Sandra conduziu o assunto da conversa para o tópico "profissão & trabalho", deixando escapar que tinha a manhã seguinte sem nada para fazer e que sonhava com um dia de passeios no parque com um MP3. Por décadas morando naquela cidade, Sandra nunca tinha feito isso. A outra parte não era tão burra a ponto de não perceber que a "manhã seguinte livre" era um convite para a esbórnia naquela noite. Sem delicadeza, o surfista confessou que sonhava em comer comida japonesa na cama, como café da manhã. Ébrios, as palavras começaram a se confundir, eis que um fala em piscina, água, cama com colchão d'água, cama grande, espaçosa, minha cama, aí falaram em suas respectivas camas. E, no final da noite, ambos na mesma cama.

No dia seguinte, antes de o surfista acordar, Sandra escapou. Pegou as roupas, se vestiu. Foi trabalhar. Apesar do cansaço físico, chegou no horário para seus compromissos da tarde, mexeu em seu *laptop* freneticamente, se sentiu mais disposta a falar com as pessoas e as ouvir. Fez hora extra, apesar de não ganhar um centavo a mais por isso.

Como se fosse uma compensação divina por todo aquele esforço, ele ligou.

— Adoro filmes alternativos — disse Sandra, que apesar de sua dita paixão cinematográfica, trocou o suposto programa por uns amassos no apartamento do surfista, que era dividido com um amigo, fato que os impedia de ir além.

De repente, momento tensão. Bêbados, um assunto levou ao outro, o surfista perguntou se o apartamento de Sandra estava livre. Sim, estava. Ele perguntou sobre o café da manhã na casa de Sandra.

— Sim, eu tenho iogurte.

Ele fez uma cara de "ah, sim". Instantes depois, Sandra seguiu:

— De morango, claro.

Ele sorriu. Decidiram ir ao apartamento de Sandra, que horas depois repassaria essa cena do iogurte de todas as maneiras, tentando encontrar significados nela. Os gestos, as falas, as ações eram, em uma hipótese bastante razoável, sinais de entrega mútua. Sandra havia aceitado a ideia de levar aquele homem que mal conhecia ao seu apartamento.

Antes, escolheram um queijo para o café da manhã. Pegaram dois vinhos na loja de conveniência no posto 24 horas da esquina.

— Você acha que a gente toma dois? — intimou o surfista.

— Eu tomo uns goles. Estou tomando remédios. Vai aí, levamos os dois.

— Poxa, vinhos, queijo, morango... outra coisa legal de ter quando você acorda é pijama. Gosto do meu pijama. Pode parecer loucura, mas acho que vou levar uma mala.

— Olha... bem, pode ser. —Voltaram ao apartamento do surfista só para pegar a mala e um conjunto de roupão, camiseta e calça de pijama, todos em tons de azul e cinza. A indumentária tinha pequenos detalhes que remetiam à atividade marítima, como uma âncora no lado esquerdo do roupão. Um par de pantufas que não fazia parte do conjunto também fora acrescentado. Ele também recolheu escova de dentes, creme de barbear, lâmina, loção pós-barba e outros utensílios de higiene. Os inusitados que o surfista considerava de primeira necessidade para passar uma noite fora, somada à completa falta de senso estético do pijama, resultaram em uma apreciação ainda maior da situação toda. Era obviamente pouco sexy aquilo tudo. Só alguém com muita confiança em si para não ter problema em se mostrar daquele jeito.

Levaram a mala com o pijama, dois vinhos Pinnot Noir de qualidade excelente para pessoas sem paladar, queijo camembert e uma compota de morangos. Chegando lá, tiraram os calçados. A mala do surfista foi aberta no quarto de Sandra e o importantíssimo pijama foi deixado embaixo do travesseiro.

— É prático — explicou o visitante, demonstrando estar muito à vontade, e no mesmo instante foi ao banheiro com seu *nécessaire*. Voltou do banheiro em menos de um minuto, mas já sem o *nécessaire*. Sandra também estava gostando de tudo, sentia que precisava desse tipo de entrega completa e irrestrita. Sentia-se agraciada por obter isso sem precisar aparentemente de muito esforço.

Começaram a tomar vinho.

Ele não sabia nada de música. Sandra arriscou uma coletânea do Bob Marley, disco que na verdade era da sua filha.

— Nossa, que ótimo — disse ele sobre a música.

Sentiu que estavam em harmonia, na mesma vibração.

Ele pediu para fumar. Pode, claro. Sandra o acompanhou até a sacada. Nem bem o primeiro cigarro tinha terminado, ele fez um anúncio que mudaria tudo. Ia voltar para casa. Recolheu correndo o que tinha tirado da mala, colocou de novo os tênis e parecia resoluto em ir embora. Falava de compromissos, mas Sandra não acreditava no que ouvia. Insistiu para ele ficar.

— Posso fazer uma última tentativa — disse Sandra.
— Olha, eu posso chamar um táxi amanhã bem cedo para te buscar e você vai pra esse compromisso.

— Não quero causar transtornos nem gastos. É hora de ir embora.

— Não vai ter gasto nem transtorno. Peço agora por telefone, ponho na conta da empresa...

— Melhor eu ir agora. — O surfista deu um beijo em Sandra e caminhou para o elevador.

Sandra acompanhou da sacada o surfista indo embora. Sentiu que seu ego havia sido jogado do edifício. O maldito roupão com âncora no peito foi deixado para trás em meio à correria. Para piorar, a peça estava impregnada com o cheiro dele.

Cerca de duas semanas depois, Sandra já estava com a agenda cheia de compromissos, sem parar para pensar em nada que não fosse interessante em termos de desenvolvimento pessoal e profissional. Aí ressurgiu o tal do surfista na sua mente. Em um dia que seria qualificado como "de fraqueza" pelo guru da administração de recursos humanos, Ronald G. Thompson, Sandra buscou em uma rede social o nome do surfista. Encontrou.

Viu diversas fotos egocêntricas dele, fazendo caras e bocas. "Gostaram do meu cavanhaque?", dizia uma delas, que exibia o novo corte da barba. Sandra contou comentários de 11 mulheres, sendo que duas delas possivelmente eram parentes. Dois supostos amigos o chamaram de *gay*.

Pensou em mandar uma mensagem, mas não tinha assunto. Navegou em *sites* de surfe em busca de algo. Escreveu uma mensagem sucinta, com o link de uma reportagem. "Você já foi pra essa praia?" Foi a forma que escolheu para arrematar seu texto sintético, que parecia apontar para uma suposta viagem.

Recebeu nenhuma resposta, que no final das contas foi uma resposta. A pior de todas.

Outro dia ele ligou no celular dela. Sandra caminhava do escritório para a garagem do prédio da GT no fim de uma jornada de trabalho. O espaço se encheu da voz, em princípio, empolgada de Sandra.

— Alô? Ah, oi...

— Chamada perdida do meu celular? Ah, fui eu sim. Tudo bem?

— Era só pra te convidar pro lançamento de uma marca de roupas de surfe e pranchas que vai rolar amanhã de noite.

— Bom, eu recebi um par de convites. A Germano é uma das patrocinadoras do evento e... sei lá, vai ter música ao vivo, drinques e, como você gosta disso... — explicou a diretora de marketing da GT.

— Então, como você é ligado nessas coisas e... bem, faz tempo que eu não te vejo, pensei em te convidar.

— Escuta, eu estou te incomodando? Quando eu ligo assim, você se sente incomodado? Porque, se sim, eu posso parar.

— Então, até logo.

Y

Maquiagem borrada, óculos escuros e nariz fungante. Sandra não parecia nada bem quando entrou no departamento de marketing da GT naquela tarde. Felipe já estava bastante entrosado com todas as colegas do setor, mas não ao ponto de inquirir sobre Sandra, muito menos a própria diretamente, sobre o que havia se passado. Não estava conseguindo sintonizar a rádio-peão do trampo.

Somente Sandra estava em condições hierárquicas de ser "excêntrica". Se qualquer subordinado de Sandra tivesse esse comportamento dela, que não raro distribuía patadas nesse estado, poderia receber uma advertência dela mesma. "Manda quem pode", diz o ditado.

Edilene usou de seu ferino instinto servil e preparou uma bebida com algo fervilhante. Sandra abriu sua agenda e começou a rabiscar maquinalmente. Depois folheou com fúria as revistas de fofocas. Deu um soco na mesa e balançou a cabeça, indignada com algo que lera. O clima era constrangedor, mas Felipe seguiu com o nariz metido nos jornais e revistas esquadrinhando os anúncios pagos pela Germano e pelos concorrentes. Recortava e colava em papel timbrado para fazer a checagem da qualidade do anúncio e se as medidas compradas foram respeitadas pelo veículo.

Márcia, a colega de faculdade e de emprego de Felipe, olhava de um lado para o outro, do mesmo jeito que uma caçadora avaliaria o momento certo para atacar a presa. Sandra tomou mais dois goles da bebida efervescente e lá foi Márcia apresentar o que parecia ser um *folder*. Felipe observava calado. Tinha certeza de que possuía a mesma capacidade de sua companheira para elaborar *folders* com os departamentos de criação. Tinha uma cadeira velha, mesa de terror no critério de qualquer ortopedista e um tubo de cola em bastão, no meio do escritório, à vista de todos. No final dos dias, os dedos sempre ficavam negros e grudentos, exigindo alguns minutos de limpeza antes de ir embora. O tempo seria reduzido se a Germano investisse uns trocados a mais no sabonete do banheiro masculino. De qualquer forma, Felipe se sentia bem trabalhando, mas tinha certeza de que se sua rotina de trabalho envolvesse computador e ramal telefônico seria muito melhor.

Sandra e Márcia conversaram em tom de voz baixo. A comandante do setor não parecia muito satisfeita. Felipe estava de ouvidos atentos, em busca de uma oportunidade para aparecer mais.

Depois que Márcia saiu, foi a vez de Edilene ocupar a cadeira diante de Sandra. Naquele momento, era Sandra quem mais se comunicava. Edilene ouvia, com sua habitual expressão de preocupação. Felipe respeitava a carranca de Edilene. Parecia um traço natural do caráter da secretária do qual ela não abria mão. Mas, ali, Edilene dava a entender com seu rosto telegráfico que estava com pena da chefa.

Sandra sentia que conversar com Edilene era como jogar tênis contra uma parede. Ela tinha reações esperadas, devolvia as perguntas de forma previsível. E isso não era necessariamente um defeito. As perguntas e os comentários de Edilene ajudavam Sandra a repassar aquela relação em busca do ponto onde tudo tinha degringolado. Será que fora o CD do Bob Marley?

O telefone tocou. Edilene manda Felipe atender. O estagiário ouviu, mas não escutou. Sandra repetiu e ele correu até o telefone. Nada importante; Felipe voltou para seus recortes.

Quarenta minutos depois de desabafar com Edilene, Sandra foi embora sem avisar para onde. Edilene permaneceu na mesa de Sandra, organizando os objetos. Quando Sandra bateu a porta de saída, todos ficaram em volta da secretária para ouvir o que havia acontecido.

— Outra vez ela atrás do surfista mauricinho — começou Edilene.

— Tava na cara que não ia dar certo — comentou Pâmela, uma menina com cara de beata e papa-hóstia.

— É, mas dessa vez foi sério. A Sandra realmente estava gostando dele — disse Edilene, já se encaminhando para seu posto na recepção.

Todos se dispersaram imaginando que outros detalhes a confidente teria. Pâmela comentava com Márcia que o sucesso na carreira de Sandra veio à custa de um fracasso pessoal. Na opinião da crente, uma coisa estava necessariamente atrelada à outra.

— Não dá pra ter tudo de uma vez.

Felipe entendeu como deveria se comportar no departamento: de boca fechada.

8

Do outro lado da cidade, Carrano estava sentado no balcão de uma típica lanchonete de família chinesa, que serve pão com manteiga de manhã e cerveja à noite. Era tarde, hora de um café para o poeta. A chinesa não deve ter entendido Carrano e serviu café com leite. Quando ele apontou o lapso, a atendente pareceu francamente ofendida e recolheu o copo de vidro com o líquido amarronzado. Carrano começou a bebericar seu café preto com gosto de ter sido passado havia anos. Por R$ 0,50 não poderia exigir muito mais. Dez minutos depois o copo do poeta estava vazio e nada de o material chegar.

Uma pessoa encostou do outro lado do balcão e pediu um café com leite. A chinesa prontamente passou uma colher por cima do copo que outrora fora oferecido a Carrano para tirar a nata que havia se formado no topo e serviu o novo cliente. Pela cara, ele não gostou do café. Contudo, sua careta esmoreceu logo depois —

deve ter se lembrado de que não se pode ser muito exigente com um café de R$ 0,50.

Essa injustiça flagrante fez fervilhar o sangue de Carrano. Uma colega da chinesa, que usava o mesmo uniforme com avental e boné vermelho, mas que não era amarela, trocou olhares com Carrano. Ela também tinha percebido que a chinesa serviu bebida velha para o outro freguês. Porém, ao invés de indignação, ela encolheu os ombros e sorriu. Parecia desejar que o poeta compartilhasse. Carrano virou a cara. Queria logo o material para dar o fora. Finalmente, o proprietário da lanchonete e marido da chinesa apareceu com uma sacola plástica de supermercado cheia de material escolar usado.

— Era isso o que você queria? — perguntou para o poeta.

— Sim, senhor. O menino vai ficar feliz. Vai começar o ano bem. — Carrano colocou tudo junto com as tralhas que carregava na grande mochila.

— Só quero pedir pra não vir mais aqui como veio ontem à noite — começou o empresário, que agora tinha os braços cruzados. — Aqui as pessoas gostam de comer em silêncio. Pagam por isso. Quando você quiser vir pra comer silenciosamente, aí sim pode vir...

— Aquele cara me enxotou dizendo que era por causa das minhas sandálias — respondeu Carrano, antes que o empresário terminasse a frase.

— Mas não foi por isso. Ele errou também. Você sabe que tem hora que isso aqui fica cheio e a situação fica tensa, ainda mais pra ele, que é o único segurança. Mas agora está tudo certo? Quando quiser vir, terei o maior prazer em te servir.

Um pouco contrariado com o sermão, mas feliz com a doação, Carrano arrastou seus chinelos emborrachados em direção ao ponto de ônibus. Depois do flagrante no restaurante, passaria o restante da semana em casa, tentado escrever poesias que criariam um mundo hipotético, sem as pequenas mazelas. Nem mesmo as de R$ 0,50. Mas a folha em branco agora dava medo no velho poeta. Sentia que nada daria certo para ele nos próximos dias.

A propósito, saiu sem pagar pelo café.

III

Se Pedro Petkswola tivesse de anunciar o fim do mundo, ele primeiro diria "boa tarde, como estamos hoje?". Porém, ao contrário de 99% dos que estavam dentro do prédio, seu olhar indicava algum tipo de curiosidade verdadeira em relação aos colegas próximos. As notícias que ele trazia impressas em papel timbrado dobrado em quatro partes iguais eram ruins para Sandra. O papel de mensageiro de más notícias não abalava o bom humor de Pepê. Antes de ir à mesa da diretora, saudou cada um dos empregados. Parecia ter um pequeno assunto para tratar com cada um deles.

Certo dia, Pepê flagrou Felipe com um livro de liderança escrito por Stephen R. Slater, ex-CEO de um sem-número de empresas enormes. Desde então, Pepê tenta convencer Felipe a ler outros tipos de textos, fora do âmbito empresarial. Além de diretor do pré-vestibular da GT, Pepê dava algumas aulas de literatura — a quantidade de classes assumidas variava de acordo com a saúde dele no ano. Aparentava ter idade para se aposentar, mas mantinha o emprego por deleite.

"Não há dinheiro que pague o prazer de dar uma aula de literatura. Mas não há prazer que pague minhas contas", costumava dizer, para justificar o porquê de ter aceitado o cargo de diretor dos problemáticos vestibulandos.

Por intermédio de Pepê, Felipe descobriu que tinha algo em comum com sua chefe: ambos não liam ficção. Preferiam livros úteis. Pepê, apesar de ter dado aula para Sandra, não conseguiu dissuadir o fervor pragmático da aluna. "Ela provavelmente leu só resumos das obras obrigatórias do vestibular." Felipe, nem isso. No vestibular do Germanão, a nota de maior peso é o comprovante de renda dos pais ou responsáveis.

— Isso o que você tem aí é o que eu estou pensando que é? — perguntou Sandra, interrompendo o papo de Felipe com o mestre em literatura. — Então deixa eu tomar um cafezinho — brincou ela, já aparentando estar absolutamente recuperada dos incidentes com o namorado.

— Sim, sim. E tem uma linha nesse gráfico apontando para baixo que deve desagradar os poderosos.

— Queda de quanto?

— Não quer tomar o cafezinho antes?

— Quanto, Pepê?

— As matrículas caíram em média 4%. Houve queda mais grave no pré-vestibular, administrado por um incompetente qualquer. Deveríamos despedir o careca-cabeludo de uma vez, Sandra? — disse Pepê, brincando com seu dicotômico aspecto. Tinha uma avançada calvície do coro cabeludo, mas os fios restantes nas laterais eram vigorosos e longos a ponto de fazer um rabo de cavalo grisalho na nuca.

Sandra repetiu três vezes que não acreditava. Seus olhos denunciavam que estava fazendo contas em sua cabeça. Coçou os olhos para limpar a lousa mental. Questionou o fato de a divulgação dos números consolidados e tabulados estar marcada para o dia seguinte. Não acreditou até que Márcia confirmou que os números eram aqueles mesmos. Sandra se atirou sobre sua cadeira, como se tivesse levado um soco na boca do estômago. Diante dela, Pepê e Márcia ficaram calados, aguardando um ataque atômico de vitupérios explodir. Mas a reação veio como uma silenciosa bomba de nêutrons:

— Isso já era esperado. Já era esperado. Olha o que eu estou lendo todo dia de manhã — disse Sandra, apontando as revistas de fofoca.

— A assessoria de imprensa não trabalha mais pra empresa. Agora é só da nossa querida personagem escandalosa.

— Sandra, eu sei e você sabe disso, mas não dá pra pôr toda a culpa em nossa patroa-mor.

— Como não? Como não? — enfatizou Sandra, elevando o tom de voz. — Essa mulher está acabando conosco. É toda semana uma nova, não dá!

— É, isso...

— Você já viu no YouTube? Ela é a campeã de acessos com aquela entrevista em que erra a letra do Hino do Brasil e diz achar mais fácil cantar o Hino da França. Pepê, não dá pra tapar o sol com a peneira. Essa mulher é uma *socialite* emergente que não está nem aí pra empresa da família. Nosso atual problema é essa fama.

— Ou esse cronópio — redarguiu o professor, em um murmúrio.

— O quê? — perguntou Sandra, à beira de um grito.

— Já discutimos isso antes e eu não divirjo de você. — Pepê olhou para o estagiário, dando a entender que agora sua fala era dirigida a ele e a todos que testemunhavam a conversa. — Quando eu dava aulas pra você, as nossas discussões eram revigorantes. A gente adorava discordar. — Pepê voltou a olhar Sandra. — Mas essa explicação não vai servir pra reunião dos conselheiros da semana que vem.

— Hã? — respondeu Sandra, franzindo o cenho, com uma expressão similar à de boxeadores a ponto de dar uma bofetada no juiz. Havia sido marcada uma reunião de emergência para dali a cinco dias. E o marketing deveria dar uma explicação plausível para a queda brusca nos resultados ao fim do período. O termo "deadline", que no escritório substituiu o corriqueiro "prazo", parecia verdadeiramente adequado desta vez. Era a linha da morte corporativa, dali a 120 horas.

O ex-professor se despediu, desejando boa sorte e lembrando que antecipara as más notícias justamente para dar tempo ao setor onde tinha boas amigas. Fora da sala, Pepê pôde ouvir um arrastar de cadeiras.

Sandra ligou para a padaria.

Diante de uma reunião com o conselho, nada mais natural do que outra reunião. Os colaboradores montaram um semicírculo diante da mesa de Sandra. Um livro que Felipe lera recentemente falava mal das reuniões — deveriam ser convocadas sempre com uma pauta, organizada e com tempo predeterminado. Porém, a líder do setor parecia ter tudo isso naturalmente calculado no cérebro. Edilene, a secretária, também participava da roda e estava autorizada a dar pitacos. Porém, sua única comunicação foram pernas cruzadas e uma carranca estática.

Começaram falando sobre a novela. Aparentemente, uma personagem tinha de entregar fotos comprometedoras da antagonista da trama para desmascarar uma malévola farsa. Felipe não entendia nada. Aquela não era uma situação de emergência? Não deveriam estar todos confabulando sobre a queda no desempenho das vendas? O nada discreto diálogo de alguns minutos antes parecia apontar para isso.

De repente, o celular de Edilene tocou. Ela olhou no visor e sorriu. Lançou um olhar para Sandra e sorriu. Sandra devolveu o sorriso com uma expressão de felicidade, aprovação e um pouco de obsessão: um rápido e curto balançar de cabeça, mordida no lábio inferior e olhos bem abertos. Edilene se levantou e saiu do escritório por dez minutos. Ao retornar, estava com uma caixa de papelão baixa e grande, a ponto de fazer a secretária agarrá-la com os dois braços. Márcia e uma colega prontamente colocaram outra cadeira no centro da reunião para colocar a caixa, repleta de salgadinhos pequenos e deliciosos, típicos de festa infantil. A coxinha era dourada e, apesar de obviamente frita, parecia leve. A massa do quitute não era simplesmente um envoltório para o frango desfiado. Tinha sabor também. Até mesmo Felipe, que estava sem fome, se levantou para pegar um salgadinho. Márcia pegou alguns petiscos para Sandra e pôs em um pratinho.

— Chega, três coxinhas está bom, Márcia, obrigada — disse a chefa, a única que não se levantou para agarrar a comidinha.

Depois da *petite-comilança*, Sandra retomou o fio da meada, mas já com um ambiente bem mais leve. Fez um resumo (ou *briefing*, como preferia dizer) da situação. Chegara à conclusão de que não adiantava mais deixar de tratar da escandalosa herdeira da empresa com os conselheiros e diretores da Germano.

Jaqueline Glucksowski, ou *Miss* Gluck, como a imprensa a batizara, era a herdeira do império educacional onde Felipe trabalhava. Ela estava no topo da pirâmide, enquanto o estagiário engrossava a base do complexo organograma. Havia cerca de três anos, Gluck desembarcara no Brasil após uma temporada de estudos em Viena. A foto dela no saguão de Cumbica, com óculos escuros e um lenço *fashion*, foi a primeira a ser impressa nas colunas sociais sem a presença do pai. Pudera, o presidente da empresa, Francisco Glucksowski, mais conhecido como "Chico Gluck", estava convalescente havia quase quatro anos. O caixão já estava comprado, os obituários dos jornais, escritos, e as peças publicitárias em homenagem ao "em breve falecido", aprovadas.

Na época da volta de *Miss* Gluck, os acionistas respiraram aliviados. Filha única, ela parecia ser a pessoa certa para assumir o posto de CEO da empresa familiar. Ninguém admitia, nessa era de globalização, mas todos imaginavam que Gluck havia aprendido os mais modernos métodos de administração europeus em alguma faculdade portentosa.

Foi então que veio a público a verdade: Gluck fora matriculada em uma faculdade alemã mal sabendo falar *Ja*.

Em uma semana, havia abandonado a instituição de ensino. A explicação da personagem sobre o que tinha ido fazer em Viena era algo que todos os funcionários que recebiam um contracheque gordo com a logomarca da Germano tentavam esquecer. Os de pagamentos mais tímidos se divertiam divulgando e aumentando histórias da moçoila no estrangeiro.

Esse foi o primeiro escândalo. O segundo foi a relação com um ator mexicano, que em semanas se transformou em casamento e, previsivelmente, em separação. A partir de então, ela passou a ser frequentadora assídua das colunas de fofocas, um escândalo após o outro, em uma crescente exposição. De supostas gravações caseiras de sexo explícito a provas de burrice, toda vez que Gluck abria a boca era um golpe na até então imaculada imagem do pai, um professor de matemática aposentado que homenageara um amigo morto durante a ditadura chilena dando seu nome à empresa que criou.

Sandra decidiu que trataria do tema na reunião de maneira frontal, o que seria como tentar extirpar um câncer a dentadas.

Era preciso voluntários para ajudar na exposição da reunião. Uma pessoa, pelo menos. Todas tinham compromissos inadiáveis. Faculdade, casamento de parentes, viagem, férias. Todas as desculpas padrão foram mencionadas para não embarcar naquele trem cuja maquinista pedia para colocar todo o carvão de uma só vez. Tendo pouco a perder — salário de fome e contrato temporário —, Felipe levantou o braço.

— Mas nem sei bem o que é para fazer.

IV

Antes de entrar em casa, Carrano sentiu vontade de tossir. Forçou os pulmões para expectorar tudo que tinha dentro de si. Só então abriu vagarosamente a velha porta de madeira, tentando fazer o mínimo de ruído possível. Limpou vagarosamente no velho capacho o barro impregnado nos pés.

— Estou acordado, tio — disse Binho, que estava sentado em uma mesa perto da janela da sala, por onde os últimos raios de sol entravam, encurvado sobre um caderno e segurando um lápis cheio de marcas de mordidas. Carrano sabia que seu sobrinho não estaria dormindo. O silêncio ao entrar na própria casa era para não atrapalhar os estudos. O pré-adolescente preferia estudar durante a tarde, logo depois de concluir as tarefas domésticas. Saía de noite para a casa de um amigo para jogar *video game* e, mesmo com olheiras enormes de um par de horas dormidas, ia para a escola cedo. Só voltava a adormecer no início da tarde. O sono fracionado não o impedia de tirar boas notas. E assim a rotina de Binho se impunha.

— Trouxe uns livros e canetas novas pra você — anunciou o tio, sem muito entusiasmo. Binho também não mudou a expressão ao receber o presente do tio. Agradeceu, educado, em um tom inexpressivo, encaixando na mesma frase o aviso de que havia macarrão na geladeira, bastaria esquentar no fogão para comer. Carrano já entendera que esse era o jeito do sobrinho. No começo, ele o achava frio e com uma sobriedade sufocante para provocá-lo. Mas desde que viera morar na casa de Carrano, havia seis anos, Binho declarava que amava o tio com o mesmo tom que pedia para passar o sal durante as refeições. O poeta entendeu que seu sobrinho era assim, mas nem por isso era pior do que ninguém. É como se tivesse sacrificado as emoções em prol da inteligência lógica. Os livros que havia trazido, todos para estudantes do ensino médio, seriam devorados pelo menino. Carrano se via como o oposto de Binho: uma tábua para contas matemáticas e um gênio para expressar sentimentos por meio de letras, embora jamais dissesse essa característica em público, só aquela.

— Obrigado, mais tarde eu como — respondeu o poeta andarilho. — Vai sair hoje?

— Vou — respondeu Binho, em mais uma de suas monossilábicas respostas. Isso significava que Binho caminharia no breu por oito quadras com evidente deficiência de iluminação pública. Era uma situação desagradável. Mas Carrano não se sentia no direito de privar o garoto da única diversão que tinha.

Nos próximos dias, Carrano poderia fazer diferente, mesmo que tivesse de trair alguns de seus princípios.

•

A tensão era grande. No entanto, Felipe convertia a energia em empolgação e força, conforme havia ouvido em uma palestra sobre potencialização de ROI, sigla em inglês para retorno sobre o investimento. Faltavam vinte minutos para a fatídica reunião na qual o departamento de marketing daria suas explicações sobre a queda nas matrículas à diretoria da empresa. Ter-se envolvido na missão dada por Sandra demandou sacrifícios do estagiário, como faltar a algumas aulas, mas, sem dúvida, tinha aprendido mais sobre administração de empresas e publicidade nos últimos cinco dias que no semestre anterior.

Sandra mostrou uma riqueza de nuances e planejamento em cada detalhe, mesmo no que aparentava ser fútil à primeira vista. Ela era uma verdadeira enxadrista corporativa, que prezava por cada peão do seu lado do tabuleiro. Felipe elucubrava essas ideias enquanto executava ações a mando dela. Sandra mandou que seu subordinado a aguardasse na lanchonete do prédio para que os dois subissem juntos para a reunião. Sabia que, se Felipe entrasse sozinho na sala de reuniões, seria engolido vivo. Perderia a confiança ou acabaria falando o que não devia com o clube da terceira idade que comandava a instituição.

No entanto, Sandra fez questão de que seu estagiário estivesse presente para: (1) que ele visse o resultado de seu trabalho; (2) dar mais peso aos argumentos expostos ao mostrar diante do conselho um aluno da instituição; e (3) que ele pudesse contar vantagem aos colegas de trabalho de como foi estar em uma reunião de cúpula após pequenos sacrifícios.

Felipe poderia comer o que quisesse desde que logo depois chupasse uma bala de mentol extraforte, a de embalagem de cor preta. Nada de café, chá ou outro estimulante que pudesse tirar o foco do trabalho. Ordens dadas e seguidas à risca, sem parecer que eram exageradas. O tom de Sandra, que em princípio soava autoritário e/ou arrogante, parecia cada vez mais compreensível e doce.

Quatro dias antes da reunião com o conselho, Felipe e Sandra fizeram hora extra no escritório, sem viva alma que os perturbasse. Ela, na maior parte do tempo, de cabeça baixa tirando conclusões de números, datas, cifrões, publicidade, pesquisas e notícias. Ele ficava com uma tela de LCD diante dos olhos, cuidando da apresentação em *PowerPoint*. Tinha sensibilidade para cores e formas, o que facilitava o serviço, embora preferisse explorar seus dons em programas de edição e criação gráfica, como *Photoshop* e *CorelDRAW*.

O trabalho deles rendeu. Tiravam uns minutos de descanso no meio da jornada. As conversas deram a Felipe a oportunidade de conhecer melhor sua chefa, que, assim como ele, estudara Publicidade e Propaganda. "RP [relações públicas], jornal[ismo] e PP deveriam ser cursos de pós-graduação de seis meses. Esses cursos hoje são quatro anos de pura enrolação só pra alimentar o caixa das universidades. O cara tem de aprender a coisa aqui, na prática mesmo", dizia Sandra.

Sandra sentia que sempre que falava mal da faculdade batia com um aríete na supostamente inabalável crença de Felipe no desenvolvimento pessoal na graduação. Sandra já tinha se inteirado de que, em conversas similares com amigos, Felipe rebateria as assertivas com a agressividade de um tenista faminto. Sandra sabia que sua posição de chefa freava o interessante ímpeto do garoto. Era como provocar um *pet*.

O assunto da formação acadêmica a fazia lembrar que o estagiário, do ponto de vista acadêmico, deveria estar assistindo a aulas no Germanão, preteridas pelo trabalho extra sem promessas de remuneração adicional. Um aumento no prestígio. Era isso o que ele necessitava nesse início de carreira, imaginava. Felipe tinha na ponta da língua meia dúzia de histórias de executivos de sucesso e profissionais destacados que mencionavam trabalhar até altas horas da madrugada se fosse necessário.

Na noite seguinte, antevéspera da reunião, quase madrugada, concluíram a apresentação, que aparentava durar 25 minutos.

Para passar da hipótese à realidade, Sandra achou mais adequado fazer um ensaio na casa dela às 14h de um domingo nublado. Felipe tocou o interfone do apartamento de Sandra três minutos antes da hora marcada. Já esperava encontrar a chefa vestida com mais informalidade, mas não conseguiu evitar passear com seus olhos pelos pés com chinelos emborrachados, cintura e parte da perna coberta por um bermudão de tactel negro, camiseta branca que não deve ter custado mais que R$ 10,00 e o rosto nu — sem maquiagem, sem penteado.

Esperava encontrar o namorado e a filha mencionadas pela chefa nos intervalos do trabalho e fora do expediente.

— Ela está em um intercâmbio na Austrália, não contei? Está trabalhando de *babysitter* por lá e ganhando quase tanto quanto eu — falou Sandra, sem disfarçar uma ponta de orgulho da filha independente.

O namorado não mereceu tanta atenção:

— Está por aí, dando aula em alguma praia.

Sentindo a possibilidade de entrar em terreno pantanoso, Felipe confidenciou a Sandra que tentara fazer um intercâmbio antes de começar a faculdade.

— Eu ia pra qualquer país que falasse em inglês, mas essa crise fez com que meu pai cancelasse os planos. Cheguei a cogitar até trabalhar de *babysitter*, nesse programa *AuPair*, que é mais barato, mas só aceitam mulheres mesmo.

A menção de que esse era o programa "mais barato" desagradou Sandra, que mudou os rumos da conversa para a apresentação.

Fizeram um ensaio do que seria a apresentação usando um *laptop* conectado à enorme televisão de tela plana. Cronômetro OK, pequenos ajustes nos *slides* e na ordem de aparição dos elementos. Os dois concordavam que a apresentação estava compacta, contundente e com bom ritmo de exposição de dados. Perfeita.

Enquanto gravava um CD de *backup* para guardar os arquivos (vai que o *pen drive* falha), Felipe foi surpreendido com uma lata de cerveja. Sandra se encostou no sofá em posição lânguida e com uma das mãos sustentando a cabeça. A outra tinha outra lata.

— Fale agora de você.

O guri estava estático.

— Pode beber. É domingo e a sua chefinha deixa.

Passaram o restante da tarde falando de amenidades. Felipe sempre com um sorriso no rosto e excitação pela novidade de poder debater assuntos sérios de forma descontraída com uma pessoa bem-sucedida. Sandra percebeu como o garoto estava elétrico e reagia também com sorrisos, por mais que suas ideias mirabolantes fossem pífias, típicas de quem ainda não tem cancha ou experiência. Ele não entendia que os valores da marca GT pediam sobriedade, que geralmente resulta em pouca ousadia. Mesmo assim, via um potencial tremendo no garotinho viajandão e cheio de vontade de impressionar.

— Não fique nervoso. Deixe comigo e concentre-se — sussurrou Sandra, enquanto coçava o olho direito. A tarefa de Felipe era fácil. Apertar *Enter* para mudar o *slide*. Mas depois de cumprimentar tanta gente engravatada cheia de piadas e respostas rápidas, Felipe se sentia sem graça. Deveria ter vindo com seu terno. Sentia-se como um vendedor de enciclopédias com a camisa de botões para dentro da calça *jeans* sem cinto.

— Que estagiária charmosa você trouxe, doutor Felipe — brincou Pepê, dando uma muito bem-vinda aliviada no ambiente. O literato conseguira arrancar sorrisos dos dois expositores, momentos antes de eles mergulharem no mote daquela reunião.

— Bom dia. Quero em primeiro lugar agradecer a presença de todos, em especial dos diretores que tiveram de viajar de outros estados — disse Sandra, de uma das pontas da mesa oval. Ela havia cumprimentado individualmente todos os diretores e representantes dos acionistas, mas fazia questão de começar assim para dar um caráter formal ao início. As reuniões, em geral, não tinham esse tom solene, mas como todos eram ex-professores da instituição e com longa trajetória acadêmica, um pouco de formalidade faria bem. Mesmo os que ainda exerciam a docência e absorviam com isso o jeito mais descontraído dos alunos, como Pepê, entendiam que essa era a senha para chumbo grosso.

Sandra deixou claro com gráficos explanativos que o marketing estava ciente da queda nas matrículas, apesar do forte investimento em publicidade no ano anterior.

— O investimento na divulgação da marca esteve dentro dos valores em que acreditamos. Mas houve uma série de percalços que nos prejudicaram.

Corte abrupto nos *slides*, saíram as linhas coloridas em fundo branco para entrar um fundo negro com um saxofone rasgando. Meio brega. Em *fade in*, surgiu a imagem de *Miss* Gluck na capa da revista *Caras*. Outra capa, *close* nas pernas dela. *Miss* Gluck mostrando sua academia pessoal na *Boa Forma*. Foto dela segurando livros em francês, italiano e inglês. A imprensa a flagrara em vários pontos da cidade com os mesmos livros. Em entrevista-armadilha na *Veja*, a herdeira do sócio majoritário de uma das maiores instituições de ensino do país confessara desconhecer os idiomas estrangeiros e dissera estar apenas fazendo "marketing de intelectual". A reportagem narrava que ela "falava com a língua enrolada", uma clara insinuação de que ela estava embriagada. Duas semanas depois, *Época Negócios* revelou que *Miss* Gluck não tem MBA e que passou os anos na Europa torrando o dinheiro do pai em festas. Na madrugada, Felipe adicionara um efeito que destacava palavras-chave do texto. Não havia combinado isso com Sandra, que o mirou discretamente com uma expressão indecifrável. Felipe pisou na bola ou acertou?

No mais, a apresentação demonstrou um massacre midiático. Novos *slides* destacavam as menções do grupo Germanno Thomas nos escândalos. Voltaram os gráficos para mostrar a queda na credibilidade e imagem geral da instituição para os pais de família entre 25 e 65 anos com filhos. As pessoas tinham vergonha da marca GT, queria provar Sandra.

Perguntas? Ninguém se manifestou. Sandra aproveitou para lembrar que o marketing não tinha cadeira no conselho da empresa. Se tivesse, isso poderia ajudar a organização a sanar esse tipo de questão mais rapidamente e traçar estratégias consistentes para obter melhores resultados. Os presentes conheciam essa parte do discurso — já tinham ouvido a ladainha individualmente. Sandra agora falava abertamente sobre sua ambição. Dois conselheiros deixaram escapar gestos positivos com a cabeça.

— Expus aqui o diagnóstico da nossa freada brusca. A decisão de como revertê-la cabe a vocês. Com licença. Temos uma série de compromissos agora — despediu-se Sandra. Felipe fechou o *laptop* e seguiu a chefa. Silêncio na sala.

— Você fez modificações no arquivo — disse Sandra, caminhando pelo corredor em direção ao elevador dois passos à frente de Felipe, que nada respondeu.

No elevador, ficaram frente a frente. A cara séria de Sandra logo concedeu um sorriso com o canto da boca. Estava tudo bem.

— Arrasamos, senhor Felipe. Arrasamos.

Felipe deu um soco no ar e fechou os olhos, como se tivesse feito o milésimo gol da carreira.

— *Yes!*

— Como diria meu pai, baixe a bola. Você deve estar dando um show para os porteiros — afirmou Sandra, apontando para a câmera de vigilância. Felipe se controlou.

Carrano, o poeta maldito, juntou todos os apetrechos para mais uma noite de trabalho. Percorreria os bares da região central declamando e vendendo sua poesia. Pega os tecidos com suas minipoesias pintadas, os calhamaços de folhas A4 grampeadas, juntou tudo num saco de pano e saiu do quarto.

— Vai jogar *video game* hoje? — perguntou ao sobrinho.

— Acho que sim. Terminei tudo o que tinha pra fazer na escola — respondeu, em tom de quem pede permissão.

— Tá bom. Detone seu amigo no joguinho. E tome cuidado.

Carrano se preocupava com as caminhadas extensas que o sobrinho tinha de fazer para chegar até a casa dos amigos que tinham o tal do *video game*. E o bairro não era nada calmo durante a madrugada. Chegava a ficar feliz quando o menino voltava na manhã do dia seguinte, parecendo um zumbi. A luz do dia amenizava a tensão na periferia.

V

A coluna da direita do menu da cafeteria parecia pouco amigável ao parco salário do estagiário. O que poderia gastar com os seus únicos R$ 20,00 sem dar na vista que na verdade não queria gastar com nada?

— Deixa comigo — disse a chefa ao perceber que seu empregado não estava passando um bom momento. Felipe negou com tom de voz tíbio, enquanto os olhos passeavam da pequena mesa de madeira do estabelecimento onde estavam até os outros clientes bem-comportados e bem-arrumados do lugar. Fazia um esforço para adaptar-se ao local, típico daqueles nos quais sempre desejara estar em sua imaginação. Pediu o mesmo que Sandra.

Felipe e Sandra brindaram com seus cafés em xícaras grandes, com chantilly. Epa, o café de Felipe parecia batizado. Azar, o lugar era *cool* e a chefa estava com um igual ao dele.

— Hmmm, que gostoso esse café — comentou Felipe, dando senhas para o início de uma *small talk*.

Sem pudores de etiqueta, Sandra engrenou uma conversa sobre o planejamento de marketing do semestre seguinte enquanto buscava uma caneta na bolsa. Felipe aceitou na hora trabalhar com ela na empreitada. Para o estudante, a expressão "aumento de salário" parecia que surgiria a qualquer momento, mas não veio.

— Então vamos marcar. Sem ser nessa, na próxima semana, a gente se reúne e discute mais a fundo a questão — afirmou Sandra enquanto tirava o delicado elástico vermelho que cerrava sua agenda. Felipe teve tempo de fitar o caderno de Sandra detidamente pela primeira vez. Páginas com cantos arredondados, feitas de papel grosso e seladas com capa dura.

Depois de anotar, voltou vagarosamente para a data daquele dia, olhando tudo o que tinha de fazer. Felipe não pôde evitar perceber que as páginas estavam cheias, escritas sempre com caneta negra em um papel levemente amarelado.

Quando chegou na página referente aos compromissos daquele dia, riscou a apresentação para o *board*. Ela riscou várias vezes, sorrindo. "E muito bem feito, né?", gracejava. Felipe observava os movimentos firmes executados com dedos rígidos como aço ao agarrar aquela caneta. Entendeu que aquilo era um ritual da chefa e gostou de dividir aquele momento. Até que seus olhos viram o compromisso seguinte dela, marcado para uma hora depois da apresentação: café c/ estagiário — festejo apresentação.

Assim como no primeiro dia em que se conheceram, Sandra dedicou quinze minutos para Felipe.

— Pelo jeito temos ainda uns dez minutos — Felipe disse, tentando fazer com que o tom da brincadeira de rabiscar o compromisso não fosse desfeito.

— Ah, não. O próximo compromisso não é tão importante. Tem um asterisco no começo da linha, está vendo? Isso significa que eu posso postergar. Ou adiantar, depende.

— Parabéns pela organização — rebateu Felipe, enquanto pescava com uma colher de chá o *chantilly* no topo da xícara.

— Sem minha agenda não sou ninguém, esqueço tudo e deixo de fazer coisas importantes. Funciona até nas coisas mais triviais. Quando eu estou de dieta, anoto tudo o que é pra comer. Mas minha próxima dieta está programada para a primavera. Até lá, vou tomar meus cafés sossegada — riu.

Felipe achou que fosse só figura de linguagem, porém Sandra realmente tem anotada em sua agenda uma dieta a começar em setembro.

— Eu tento me lembrar das coisas colocando alarmes no meu celular — explicou Felipe enquanto balançava seu aparelho simples, usado basicamente como um telefone.

— Ah, eu não consigo me adaptar ao celular — Sandra sacou de sua bolsa um telefone com tela sensível ao toque e um pequeno teclado físico padrão QWERTY, o mesmo dos computadores. O *smartphone* era capaz de várias peripécias com apenas alguns movimentos, mas Sandra basicamente o usava para fazer ligações e trocar mensagens. Estava *on-line* 24 horas por dia nas mensagens. Sobre marcar compromissos ali, disse que preferia o papel: "É mais rápido, mais seguro e mais sério. Experimente".

Vinte longos segundos de silêncio. Pausa típica de quem esgotou assuntos ou percebeu que desperdiçou tempo em temas supérfluos e nem se conhece bem. Um momento de pura dúvida sobre como agir, uma brecha na transição de um conhecimento mútuo.

Felipe achou uma maneira de retificar a rota da conversação:

— Falando em compromissos, como foi com aquele jornalista?

— O Barbosa? Ah, normal. Ele queria qualquer coisa exclusiva pra colocar na coluna dele. Eu distribuo periodicamente entre os colunistas pedaços de informações pra eles ficarem felizes, assim mantenho uma boa relação. Muito mais eficaz que dar propina, como você vai ver que alguns dos nossos concorrentes fazem.

— Ele queria a *Miss* Gluck?

— Claro. Nossa garota-problema é o foco das atenções. Estou um pouco cansada disso, pra ser sincera.

— E o que você disse?

— Leia a próxima coluna dele.

●

Seguido pelo olhar de dois seguranças, Carrano foi até a seção de eletrodomésticos e indicou o que queria. O atendente, devidamente uniformizado com o colete vermelho do supermercado, sentiu o cheiro de cigarro e álcool emanarem do homem maltrapilho diante dele. O funcionário não fez questão de disfarçar o mal-estar provocado pelo poeta quando saiu para buscar o que Carrano queria.

Antes de entregar a caixa de papelão, perguntou qual seria a forma de pagamento.

— Dinheiro — murmurou Carrano, colocando os dois braços em volta da caixa, que era leve, mas volumosa.

— O quê? — perguntou o atendente, quase gritando, sem largar a caixa. Os dois seguranças se aproximavam a passos rápidos enquanto falavam por um radiocomunicador. Carrano olhou para eles, olhou para o atendente.

— Me dá — pediu Carrano. O atendente abriu a boca e olhou com tom de surpresa para os seguranças, como se estivesse sendo vítima de algum crime injustificável.

— Senhor — chamou um segurança, que mais parecia um mastodonte de terno e óculos escuros. Ele agarrou com força o mirrado braço de Carrano.

Carrano deu dois passos para trás e pôs a mão livre em um bolso.

— Tá aqui ó, ó. Vou pagar — disse enquanto sacava notas amassadas do bolso, produto de quase meio ano de economia. Um monte delas, cada uma garimpada com muito afinco na noite da cidade, com o suor de quem tem de fazer adolescentes mais jovens que os uísques que bebiam valorizar a poesia. Carrano sabia que, no final das contas, era dinheiro como qualquer outro.

O atendente voltou a fazer uma expressão parecida com a usada para pedir ajuda, só que dessa vez com uma espécie de sorriso.

— Ah, eu só queria tirar a etiqueta de segurança antes, senhor. Se não, o alarme ia disparar quando o senhor saísse. Tenha calma que vou fazer o procedimento.

Assim, Carrano comprou um *video game*. Queria sair logo daquele lugar.

16

O clima no apartamento de Sandra não parecia em nada com as amenidades trocadas com Felipe na tarde do mesmo dia. Solitária.

Engraçado o Felipe.

Os pensamentos de Sandra rumaram para quando ela tinha a idade dele. Parecia tão pouco tempo cronologicamente, mas entre uma geração e outra havia um abismo comportamental. Logo que começou a faculdade, Sandra saía com um grupo de meninas que também faziam um curso de teatro além da faculdade de Publicidade e Propaganda. Nenhuma parecia ter pretensão de ser atriz profissional, mas levavam a sério as atividades cênicas. Uma convenceu a outra, que convenceu a outra, e foram todas fazer o tal curso.

De vez em quando, elas atuavam nas peças, que tentavam chocar o público a todo custo. Em uma delas, uma das meninas foi mostrada nua, envolta apenas com uma película plástica. Sandra se questionava o valor artístico da peça, que era exibida todas as quintas, em um porão batizado de teatro, ao lado de uma praça.

A amizade delas era diferente. Sandra era uma amiga, mas jamais poderia estar no palco. Insistiram, mas sabiam que a barreira dos quilinhos extras de Sandra poderia fazer com que ela se sentisse humilhada nos exercícios das aulas de interpretação.

Mas Sandra era próxima o suficiente para ser convidada para as festas. Apesar do sobrepeso, estava longe de ser chamada de feia. Sabia explorar seu decote, o que atiçaria os rápidos globos oculares masculinos e femininos naquela inauguração de uma nova "obra".

Nem precisava ter tido aulas de administração em sua faculdade de PP para perceber que a festa, em teoria, era um milagre econômico. Como assim R$ 3,00 por três cervejas? Tudo bem que o lugar da festa era um porão usado para apresentar as peças, provavelmente de aluguel baratíssimo, mas, ainda assim, o preço estava incompatível com o custo de vida da cidade.

O preço não era a única coisa que chamava a atenção. As amigas de Sandra vendiam uma bebida por R$ 10,00, era sorvida entre os seios das jovens atrizes no balcão, que balançavam a cabeça dos excitados rapazes. Havia fila para tomar aquela generosa dose de cachaça com catuaba.

Na primeira vez que fora a uma dessas festas, Sandra ficara chocada e pedira explicações para suas companheiras de faculdade de publicidade. Elas ensaiaram uma elucidação de que, na metodologia empregada, os artistas deveriam se desprender do amor pelo próprio corpo. A nudez era corriqueira nas aulas, segundo contavam. Uma vez, Sandra pegou uma conversa no meio em que elas teciam impressões sobre o exercício de lamber traseiros uns dos outros como cães. Sempre que Sandra pedia mais detalhes, elas saíam pela tangente. A então estudante de publicidade até entendia as encenações feitas em público ou nos trens da cidade, mas lamber bunda dos outros parecia não ter nada de artístico.

Os tais exercícios dramatúrgicos eram praticados o tempo todo pelos alunos durante as festas. Os que ficavam no balcão de vez em quando enrolavam os clientes bêbados com trava-línguas e interpretações de personagens. Incautos ficavam tontos no meio das frases cheias de triplo sentido que se encadeavam de maneira pouco lógica. Meninas se dedicavam a seduzir participantes homens heterossexuais da festa para depois fugir dos incitados pretendentes. Sandra ficou desconfortável quando ouviu que um dia ela seria alvo de uma competição. Suas amigas disseram que iriam competir para ver quem a beijaria primeiro. Interpretando tudo como uma brincadeira sem graça, parecia até inocente.

A pista de dança parecia uma grande tribo que tentava chamar a atenção do DJ, o pajé da festa e principal diretor da companhia, que de quebra ainda atacava de cronista semanal para o principal jornal local e tinha uma banda de rock. Zeta era o nome do cara, um dos mais quentes da cena alternativa.

Foi só na terceira incursão nessa folia teatral que Sandra entendeu quem eram os protagonistas daquela grande posta de cena. Alguns atores circulavam pelos porões do teatro comercializando cocaína e maconha. A pequena quantidade da droga era abastecida no balcão onde eram compradas as fichas das bebidas. Os clientes que não sabiam do esquema eram enrolados ou recebiam as sensacionais três cervejas por R$ 3,00 para saírem logo de perto.

Sandra tinha sentimentos desencontrados por aquelas festas. Curiosidade, fascínio, asco e aflição. Os sentimentos negativos para com o lugar se desvaneceram num dia em que Zeta elogiou o colo de Sandra de forma certeira.

"Seu decote não deixa nada para a imaginação, a não ser a promessa de onde não se deve aventurar", ou uma cafajestice poética do gênero, foi o golpe de misericórdia à resistência de Sandra ao charme do *gran* líder da noite. Se beijaram. Sandra sentiu que estava sob o domínio de um conhecedor de mulheres como poucos. As mãos ásperas dele passeavam pelo corpo dela com gestos delicados, com a leveza de um vestido de seda novo. Ela não quis ir além para não dar a impressão de ser só mais um troféu em uma prateleira cheia. Sua imaginação a torturaria horas depois. O arrependimento se iniciara quando ela se deitou na cama de sua casa e viu o teto girar e só cessaria no final do ressacoso dia seguinte.

Embora hoje entenda como uma experiência de vida essencial, Sandra então passou a se distanciar daquele grupo de pessoas. Ficara grávida de um imbecil. Mãe, tinha de trabalhar o dobro para provar para todo mundo que sua vida não estava acabada e, de quebra, tinha de dar tudo o que um ser gerado por ela precisava para ser feliz. O resto da história passou por Sandra em milésimos de segundo. Concluíra que não seria nada mal se Felipe tivesse uma daquelas noites loucas daquele breve período universitário. Faria bem para ele.

    Foi, talvez, o último pensamento sensato antes da garrafa de vinho, do celular e da solidão voltarem com tudo.

16b

O dia seguinte era de lentes negras nos óculos de Sandra. Dormira pouco, chorara muito; as olheiras passavam da área coberta pelos óculos. Não conseguia pensar em outra coisa. Entrou no carro, ligou o som e deu ré. Raspara em uma pilastra do estacionamento. Era dia de óculos escuros e táxi.

Se pudesse escolher o condutor, pediria um que não tentasse puxar assunto. Mas, como coisas ruins parecem vir entrelaçadas, em uma espécie de lei mais perversa que a de Murphy — o taxista tagarelava. Sandra tirava papéis, cadernos, aparelhos e maquiagem da bolsa tentando parecer ocupada. Uma maneira de dizer "cala essa boca" de forma indireta. Mas o taxista — que parecia iniciante — não decodificava os sinais de Sandra e se esforçava para que ela tivesse uma boa viagem. Eram 6h30, quem não gostaria de ouvir alguém simpático a essa hora? Sandra, é claro.

O último semáforo antes da firma estava fechado. Droga.

— Me deixa aqui. Quanto é? Toma, fica com o troco, estou com pressa. Obrigada.

Na primeira corrida do dia, o taxista ganhou bandeira 1 como se fosse 2, contando com o troco embolsado. E como boas coisas parecem vir em conjunto, em uma espécie de inversão da lei de Murphy, já tinha outro passageiro fazendo sinal logo na esquina seguinte. A perspectiva de que a sorte seguisse do lado do taxista era baixa, já que o passageiro se vestia com farrapos que um dia devem ter sido roupas e trazia uma sacola de papel, além de uma caixa de *video game.*

O banco de trás do táxi foi tomado pelos papéis (alguns deles, grampeados, eram apresentados como "livros") e tiras de couro com poemas. A sacola de tecido sustentável e amiga da mãe natureza se rompeu, fazendo o sorriso do taxista desaparecer tal qual o banco traseiro, já não mais visível dada a papelada e tranqueirada que o acobertava.

— Espera, está marcando treze reais. Eu disse que só tinha dez quando entrei — disse Carrano.

— O quê? — redarguiu o taxista. Os dois começaram a falar juntos e a não ouvir um ao outro. O taxista disparava que o poeta estava sujo e que era um trambiqueiro. Carrano disse ter avisado logo que entrou no carro que era para ele o deixar o mais perto possível do endereço com dez reais.

— Sai do meu carro — foi a frase que deu fim à discussão, com um puxão no freio de mão. O taxista abriu a porta e começou a puxar Carrano. Fraco por uma noite em claro vendendo e declamando poesia, não tinha forças para lutar por sua dignidade. Quase bateu com a cabeça no meio-fio. A montanha de papéis e bugigangas foi atirada por cima dele. A última coisa arremessada antes do carro do taxista partir foi a caixa do *video game*, que caiu fazendo um som preocupante.

Edilene estava em uma ligação quando viu Sandra saindo do elevador. Deu qualquer desculpa e cortou a chamada para disparar em direção ao bebedouro. Encheu o copo de vidro até a boca e o deixou em cima da mesa de Sandra, ao lado de duas cápsulas brancas.

— Bom dia — disse Sandra, em meio a fungadas, sem se virar para os colaboradores de seu departamento. Foi reto para a mesa. Edilene tinha ajeitado a cadeira e esperava logo atrás, quase em uma posição militar de sentido.

Enquanto Edilene e Sandra murmuravam na espécie de sala sem paredes, todos os colegas se comunicavam por expressões faciais, caretas davam o tom.

— Mas está tudo bem. O negócio agora é trabalhar — irrompeu de repente Sandra, fazendo todos os funcionários ouvirem. Ela passou então a sacar objetos de sua bolsa.

Edilene, sentindo que sua chefa e colega havia desabafado o suficiente e estava em seu humor típico das saídas de fundo de poço, perguntou sobre a apresentação. Sandra dizia "maravilhoso, maravilhoso" a cada par de frases. "Tinha de ver a cara de todo mundo." Felipe, que não parava de olhar a cena de longe, estava louco para largar as revistas e se juntar a Sandra no relato da apresentação. Era compreensível a confusão do rapaz, pois a jornada de trabalho anterior tinha sido gloriosa, nada a ver com esse vulto negro que Sandra trouxe ao departamento. Nenhuma colega tinha lhe perguntado sobre o tema. Tirando o fato de que ficar contando vantagem poderia prejudicar seu marketing pessoal.

Passadas as risadas, Sandra foi fazer suas típicas ligações espalhafatosas, cheias de gracinhas. Depois da terceira chamada, a voz de Sandra cessou de repente. Era perceptível que algo estava errado. Seus olhos iam de um lado para o outro, os músculos faciais todos retesados.

— Edilene — chamou Sandra, com a respiração pesada —, pegue minha chave e veja se eu deixei minha agenda em casa.

Edilene parecia mais apavorada do que Sandra. Sem comentar nada, agarrou a chave, pegou dinheiro na bolsa da chefa e saiu do departamento de marketing. Sandra abria e fechava gavetas incessantemente.

Márcia se atreveu e perguntou se ela precisava de ajuda.

— Não, pode deixar. Siga analisando aquelas fotos pro *hot site*. — Foi a resposta que obteve.

Sandra pegou o telefone: polícia, correio, portaria, conhecidos, nada.

— Alô? Eu acho que perdi uma coisa em um táxi de vocês... OK, eu aguardo... Sim, eu gostaria de registrar a perda de um objeto... uma agenda. Tá... tá.... — Sandra então passou seus dados, que estavam na primeira página do caderno. — Diga ao taxista que estou disposta a oferecer uma recompensa.

As duas horas seguintes, Sandra passou com o pescoço curvado, mirando apenas a tela do *laptop*. Os sons do pequeno teclado de teclas plásticas sendo pressionadas por unhas femininas pareciam trovões na silenciosa sala, onde todos que não tinham perdido a agenda baixaram o tom de voz instintivamente.

— Encontraram? — Pausa dramática em todos. — Você tem o celular dele, eu posso falar? — Nova pausa, mas agora já era claro o rumo da conversa telefônica: nada de agenda. — É questão de urgência, você entende isso? Tá, tá, OK, bom dia — declamou Sandra, em tom que parecia um meio-termo entre o raivoso e o cadavérico. As emoções e atitudes da líder tinham a linearidade de uma montanha-russa.

Edilene foi a única que ousou se aproximar — ela havia voltado da infrutífera busca no apartamento.

— Nada. E a atendente não quis me passar o telefone do taxista. Eu, eu... bom, o negócio é seguir trabalhando que uma hora ela deve aparecer — disse Sandra, dando fim ao clima de catástrofe que se instalara no escritório.

A empresa de táxi ligou novamente durante a tarde, reforçando que não tinha encontrado a agenda e que não iria passar o celular do motorista que atendeu Sandra horas antes. Não, não adiantava insistir.

Felipe ofereceu ajuda. Sandra respondeu que não, que tudo isso era praga dele. Humor, certo?

Carrano chegou em casa no final da manhã, hora em que seu sobrinho ainda estava na escola. Sob a pequena mesa feita de um frágil MDF estavam cadernos e livros — sinal de que o garoto estudara algumas horas antes.

— Guri esforçado, vale qualquer sacrifício — Carrano falava para si ao deixar a caixa sobre o colchão onde o menino dormia. Queria estar acordado na hora em que o menino visse o presente. Mas não aguentou. Deixou a caixa com o *video game* em cima da mesa e se encostou no sofá, por onde dormiria por quatro horas.

Quando despertou, o barraco estava organizado. Os calçados que Carrano atirara no meio da sala, cada um para um lado, estavam no canto, a papelada, empilhada em cima da mesa e a caixa com o *video game*, sobre uma cadeira. Seu sobrinho também estava em seu lugar de costume, sentado na mesa com livros e cadernos do colégio.

— Ei, Binho. Como vai? Já está acordado? Que horas são?

— Quase meio-dia, tio.

— Viu o presente que eu te trouxe?

— O quê? É pra mim?

— É. Acho que você merece, por todo o esforço que vem fazendo e... bem, aí está. Fica pelos aniversários e datas em que dar presente é uma convenção social que eu pulei.

Chamar qualquer costume da sociedade que Carrano não aprovava de "convenção social" era uma das escassas piadinhas a que o poeta recorria. Binho sabia disso. Era um sinal de que o poeta estava muito contente. Jamais diria que o tio trouxera um *video game* antigo, dos anos 1990, enquanto ele já estava brincando com a terceira versão da mesma marca.

— Muito obrigado, tio — disse Binho, com um tom sério, respeitoso e olhando diretamente nos olhos de Carrano, que temia e admirava essa postura do garoto, adequada para uma pessoa mais velha. Binho podia não expressar ternura da forma como faz a maioria, mas a mescla do tom de voz com o timbre e o semblante infantil fazia o coração do poeta ficar apertado, angustiado. Queria que seu sobrinho reagisse de maneira mais normal, que sua vida fosse pontuada por mais eventos felizes como esse da entrega do presente. Porém, as condições financeiras o impediam. — Nunca vou me esquecer do senhor — completou o garoto.

VI

A menina com rinite sentada ao lado não parava de espirrar. O relevo da calcinha da professora ficava bem evidente quando ela colocava uma surrada calça cor de salmão. Havia sons de gente conversando na sala ao lado. Passou o dedo por dentro da fitinha de Nosso Senhor do Bonfim, que levava no pulso. Estava a ponto de arrebentar. Os desejos de Felipe seriam realizados se ele forçasse essa pulseira? O que desejara mesmo? Uma pulseira emborrachada que tinha no outro braço, que trazia a marca de uma ONG, estava firme. Essa era mais pragmática, o valor foi remetido para o combate à pesca predatória de baleias no Japão.

Tudo conseguia agarrar a atenção de Felipe, exceto o mais importante da aborrecida aula de mandarim, o futuro idioma dos negócios, naquela abafada manhã de sábado.

O celular de Felipe vibrou e tocou uma canção pop de refrão grudento, cheia de "tchu tchu tchu tchu". Era o anúncio de uma ligação. Pediu licença e saiu da sala para atender. Era Sandra, com frases que salvariam aquele dia vazio:

— Está muito ocupado?

— Não, não, pode falar.

— Pode dar uma passadinha aqui em casa?

Criar algo agora que pudesse ser vendido em algumas horas. Foi pensando nisso que Carrano mascou um papelote, abrindo sua mente para as mais variadas criações, rimas e construções. Não parecia ser suficiente, se concentrou no artesanto das torções de latas, que envolvia a queima de parte do metal com um isqueiro já quase sem carga.

Da beirada de sua cama e com os últimos resquícios de lucidez da próxima hora, podia observar seu sobrinho escrevendo vagarosamente a lápis. Eram exercícios de caligrafia. Carrano achava que os garranchos do garoto se deviam à forma cheia de dedos — literalmente — com que ele segurava a caneta, mas era melhor não comentar.

O que lhe causava um pouco de repugnância era o fato de a professora pedir para que Binho copiasse à mão poemas dos autores ditos clássicos do Brasil. Carrano detestava ter a sensação de estar sendo comparado a um desses figurões. Ele mesmo lera muito poetas românticos, mas sempre negou qualquer influência. Dizia que fora mais "contaminado" pelo estilo dos roqueiros dos anos 1980, que não conseguiam disfarçar sua queda pela MPB. Carrano tentara ele próprio ser músico. Tivera uma banda com amigos da escola. Mas nenhum companheiro tinha a mesma dedicação que ele — todos tinham outros empregos sem qualquer relação com a música, o que comprometia a qualidade do trabalho, de acordo com o poeta. Brigou com todos. Tentou carreira solo com um violão nas calçadas do centro da cidade. Percebeu que as pessoas acham caro pagar por horas de música na calçada, mas aceitam dar uns trocados quando compram algo físico. Foi então que Carrano gravou um CD, que deixava escancarada toda a sua falta de talento. Carrano desafinava, e não havia *overdub* de estúdio capaz de disfarçar isso. Perdeu muito dinheiro, brigou com todos e se isolou. Criou uma ilha envolta por um mar de exaltação da "obra original", como ele mesmo descrevia seus poemas. "Nada comercial, nada pra imprimir na bandeja do McDonald's", costumava berrar. Isso era o certo, mas o moleque tinha uma letra feia a ponto de Carrano poder controlar seu ímpeto.

Em meio ao silêncio da casa, interrompido apenas pelos barulhos inconstantes da rua, de carros, cachorros e trechos de conversas dos vizinhos, o poeta se acomodou entre a cama e a parede. Esticou-se para pegar um chumaço de papéis debaixo da cama, onde descarregaria toda a energia acumulada de sua cabeça latejante. Estava eufórico, mas sem ninguém com quem conversar além de suas próprias tropeçantes palavras.

— Isso é pouco usual. De chamar alguém aqui... melhor, de chamar um colaborador aqui em casa no final de semana — foi logo dizendo Sandra assim que Felipe chegou no apartamento.
— Tudo bem. Digamos que vim pela nossa amizade.
— Soa bem pra mim. — Mas não soava nada bem para Sandra. Amizade é sempre algo pesado e daquela maneira artificial só piorava.
Ela ofereceu algo para Felipe beber, comer, "fique à vontade".
— Olha, eu ainda estou em busca da minha agenda.
— Ah é? — Felipe sabia que era por isso, mas fez cara de desentendido.

— É. Consegui falar com o taxista, que é o único lugar onde eu posso ter deixado. Perguntei pra ele quais foram os clientes que ele atendeu logo depois de mim. Os táxis são uma bagunça e não têm controle de onde vão. Mesmo com GPS e tudo o mais, eles não guardam os itinerários, você acredita nisso?

— Putz.

— Então ele me deu os bairros dos passageiros. Eu pensei em colocar uns cartazes com avisos de recompensa.

Apesar da deixa, fez-se silêncio. Sandra insistiu:

— Você acha uma boa ideia?

— Pode dar certo...

— Vou precisar de duas coisas suas, então. Você pode recusar se achar estranho ou muito difícil. — Interlocutor encurralado, Sandra seguiu com a próxima frase: — Você pode fazer o desenho dos cartazes e colocar o seu telefone neles, pro caso de alguém encontrar?

As opções de Felipe naquele momento eram claras:

a) Dizer "não" e fechar de vez aquela abertura que estava tendo com a chefa. Ruim para quem estava em início de carreira, mas evitaria entrar em um terreno completamente desconhecido.

b) Pedir explicações, os porquês ("Por que meu telefone?"), o que demonstraria insegurança, característica ruim no mundo dos negócios.

c) Aceitar.

Felipe optou pela letra c). Mas logo depois recorreu à letra b). Como justificativa, apenas um "o caderno tem informações importantes e eu não posso dar meu telefone".

— Isso porque falamos de agenda de papel e eletrônica esses dias, lembra? Elas hoje em dia têm sistemas que salvam todo o seu conteúdo automaticamente na internet — tateou Felipe.

— Eu concedo que você tenha razão no sentido de ser muito mais fácil fazer uma cópia de segurança em um aparelho digital. Mas eu não tenho o hábito, não adianta. E mais, desde que voltei e fiz meu MBA nunca mudei nem de marca de agenda, pra você ver só.

— E nunca perdeu antes?

— Já. Mas há muito tempo. Na época em que eu não me importava muito com o que estava escrito nela. Sei que é difícil de entender, mas é importante pra mim. Sem contar que lá estão todos os meus contatos — respondeu a ele.

— OK, vou trabalhar nisso. Segunda, no caminho do trabalho, posso passar no correio também. Às vezes as pessoas deixam documentos perdidos por lá. De repente a agenda está por lá, né?

Depois disso, mudaram de assunto. A reunião extraoficial de emergência tinha acabado. Era hora de falar amenidades um para o outro. Felipe percebeu que o tom de Sandra era diferente. Ela o ouvia com mais cuidado, sem o ar prepotente do escritório. Sandra parecia mais livre na solidão de seu apartamento de três quartos. Felipe sentia que ela realmente estava interessada nele.

— Mais uma? — oferecia Sandra, já com duas latas de cerveja abertas nas mãos.

24

"Tempestade" era um conceito forte para começar um poema, mas não conseguia ir além disso.

Estatelado sobre o assoalho de madeira de sua casa, Carrano estava próximo do que os praticantes de ioga chamam de mente vazia, mas sem uma busca transcendental. Era apenas o vazio, com um ou outro movimento quase involuntário. Nada brusco. Havia cinco minutos, chegara a apoiar seu corpo nos braços para tentar se levantar, mas uma queda de pressão o jogara para baixo.

Binho não estava em casa. Nas três vezes que Carrano foi flagrado assim pelo garoto, se recompôs rápido, ignorando a pressão baixa, tontura, calor, coceira nas costas ou qualquer uma das forças que sacavam o poder de suas vértebras.

O garoto não estava jogando muito o *video game* comprado. Seguia indo na casa dos amigos rotineiramente e fazendo as lições de casa com afinco. Binho se sentava e mandava ver, devorava livros.

Patético, engatinhou e conseguiu escalar a cadeira usada pelo menino nos deveres de casa. A mesa estava tomada por papéis de Binho, de Carrano e livros didáticos em geral. Pegou qualquer coisa de sua pilha para descarregar sua fúria criativa para, minutos depois, exausto, dormir sobre a mesa.

— Tio, tio, acorda. — Binho sacudiu o tio. — Você está molhando a conta. — Carrano salivava involuntariamente sobre um boleto bancário da conta da luz.

Carrano levantou a cabeça, sorriu para o sobrinho. Já não era segredo que Carrano babava enquanto dormia. Era sempre um alívio cômico. Binho foi passar café enquanto Carrano organizava a papelada, recolhendo suas coisas a fim de guardá-las no quarto.

Deparou-se com uma agenda com papel e acabamento mais chiques do que os cadernos de espiral baratos que ele costumava carregar.

— É sua, Binho?

— Não.

Carrano resolveu folhear o caderno, que seria acomodado entre a papelada que recebia as criações do artista.

25

Quando em razão do horário as buscas no mundo físico paravam, Felipe ia para a internet de noite em sua casa. O rapaz estava longe de ser um *hacker*, mas sabia navegar bem em redes sociais e motores de busca. Vasculhava por todos os lados atrás de alguém que tivesse postado, porventura, ter encontrado uma agenda Moleskine no banco traseiro de um táxi. De vez em quando, encontrava alguma coisa que poderia levar a crer na recuperação da agenda de Sandra. Logo enviava um *e-mail* ou mensagem por *chat* de rede social. Quando não encontrava indício nenhum, enviava mesmo assim.

— Me dá um gole? — perguntou gentilmente o pai de Felipe uma vez. A alimentação nas madrugadas de investigação na internet eram feitas à base de biscoito recheado de chocolate e refrigerante. Em média, Felipe consumia um pacote e meio de sua comida e dois litros da bebida por madrugada.

O único computador da casa capaz de aguentar o tranco de várias janelas e programas abertos ao mesmo tempo era um *desktop* que ficava na sala de estar. Toda a família compartilhava a máquina. Felipe estava vulnerável às interrupções, apesar de as detestar. Se ao menos seu *notebook* tivesse uma configuração um pouquinho melhor, ele se isolaria em seu quarto. Como não era o caso...

— Claro, toma aí.

— Ah, um caderninho Moleskine... para mim essa marca é sinônimo de preço exorbitante.

Felipe estava com a página de uma loja virtual aberta e o pai espiou. Droga, o velho tinha de ser tão escancaradamente pouco sutil.

— Pois é. Estou pensando em dar de presente pra uma pessoa.

— É um bom presente — disse o pai, já sacando que se tratava de uma garota. Até ofereceu seu cartão de crédito.

A cabeça de Sandra normalmente agia como um campanário sensível. Ideias, projetos ou qualquer movimento fora do esperado nos gráficos da empresa a faziam agir com estardalhaço digno do sino de uma igreja antiga. Mas, apesar dos *insights* de Felipe sobre sua agenda, nenhuma ideia surtia efeito.

O rapaz, que também visivelmente não digeria bem a derrota, tinha feito buscas pela internet, polícia, correio. Até a patética ideia dos panfletos o rapaz tinha feito por ela. Recebeu como retorno apenas trotes — modalidade da traquinagem adolescente que Sandra julgava esquecida.

— Felipe, posso falar com você um segundo? — chamou Sandra, tirando-o da frente da televisão, onde checava a exibição de comerciais do grupo educacional.

— Esqueça a missão da agenda. Acabou. Vi que você é um menino esforçado e muito bom em tudo o que faz. Mas superemos, OK?

— É. Só que eu não quero que essa seja uma derrota 100%. Quanto você me desconta por isto? — disse Felipe ao estender uma agenda da marca Moleskine, com tudo igual à agenda perdida pela chefa. Exceto, lógico, pelo conteúdo. Sandra não sabe se entendeu direito o sentido da porcentagem na frase de Felipe, mas recebeu o presente com um abraço e o tradicional "não precisava". Estava feliz.

— Muito obrigada, Felipe. De verdade.

Sandra ofereceu a Felipe a possibilidade de ele participar do primeiro compromisso anotado na nova agenda. Um trabalhinho bom de fazer.

◉

Carrano esperou até o dia que passasse perto do endereço comercial colocado na agenda para devolvê-la. Depois de um tempo, finalmente entregou o caderno para o porteiro da madrugada do prédio administrativo da Germano Thomas. Nem tentou vender sua poesia — porteiros com aquela cara geralmente gostavam de ficar ouvindo rádio ou vendo TV, nos raros empregos que assim os permitiam. Em uma mente tão poluída Carrano jamais conseguia plantar a semente da sua poesia.

Ao receber sua velha agenda de volta das mãos do porteiro da manhã, Sandra primeiro se sentiu feliz por recobrar o objeto em que marcara em todas as páginas que diziam "quarta-feira" as suas sessões de Pilates às 22h e compromissos importantes e esquecíveis entre uma semana e outra.

Depois teve uma sensação de asco por ver todas as

páginas rabiscadas, folhas rasgadas e a capa com marcas. Parece que a agenda foi atirada ao chão no meio de uma manada de bisontes. "Foi assim que entregaram, dona Sandra", tinha alertado o porteiro.

Antes da entrega, Sandra tinha até meio que se esquecido da velha agenda. Passara a usar aquela dada por Felipe, já com outros compromissos e as rotinas todas anotadas até o limite do novo caderno, como as aulas de Pilates.

Sandra foi direto para a sua mesa, onde tentou decifrar o que fizeram da sua agenda e resgatar alguns compromissos que porventura tivessem ficado esquecidos quando batizou o novo anotador.

Folheou cuidadosamente para entender o que fora feito de sua companheira, e se deparou no dia 19 de janeiro com as frases:

> Que tremem, palpitam, banhados de luz...
> São anjos que dormem, a rir e sonhar
> E em leito d'escuma revolvem-se nus!
> E quando de noite vem pálida a lua
> Seus raios incertos tremer, pratear,
> E a trança luzente da nuvem flutua,
> As ondas são anjos que dormem no mar!

O que é essa m...

— Oi, Sandra — disse Felipe ao chegar no escritório, se aproximando dela. — O que é isso? — emendou o estagiário logo depois que Sandra devolveu a saudação.

— É minha agenda. Alguém parece que veio de madrugada e devolveu. Veio em frangalhos, olha só.

— Putz. Acho que me esqueci de mencionar nos cartazes que ela era procurada viva, não morta — gracejou Felipe. — Você pagou a recompensa?

— Não, nem sei quem encontrou. Deram pro porteiro da madrugada. De qualquer forma, ela está inútil agora. — Sandra guardou a velha agenda em uma gaveta enquanto puxava o presente de Felipe comprado a US$ 11,00 mais o frete no *site* de uma livraria.

28

O despertador de Sandra era o liquidificador barulhento sendo ligado pela empregada. O barulho não chegava alto ao quarto, mas àquela hora era o suficiente para despertá-la. O som do rádio-relógio, sintonizado em uma estação de música tranquila, vinha logo em seguida. Tocou Charlie Wilson.

Sandra agarrou a agenda para ver o que tinha para hoje.

Meia-noite. Ao meu quarto me recolho.
Meu Deus! E este morcego! E, agora, vede:
Na bruta ardência orgânica da sede,
Morde-me a goela ígneo e escaldante molho.

"Vou mandar levantar outra parede..."
– Digo. Ergo-me a tremer. Fecho o ferrolho
E olho o teto. E vejo-o ainda, igual a um olho,
Circularmente sobre a minha rede!

Pego de um pau. Esforços faço. Chego
A tocá-lo. Minh'alma se concentra.

Que raio de... ah, era a agenda velha. Sandra a havia levado para casa para tentar passar a limpo alguns telefones que anotara em meio aos compromissos. Anotou na nova agenda "passar a limpo telefones" para as 23h daquele dia.

Sandra tinha comentado com a empregada sobre a agenda que recuperara. A empregada era uma ótima interlocutora para as manhãs de Sandra, pois basicamente respondia com monossílabos e não gostava de discordar de ninguém em assuntos que exigiam um silogismo levemente elaborado. Era uma espécie de Edilene sem o segundo grau. Também era um excelente canal para saber como o senso comum da cidade pensava. Sandra atirava ideias para ela e, de acordo com a expressão facial, podia medir o que as pessoas pensariam, por mais que a subordinada dissesse "sim". Era como falar sozinha sem parecer louca.

— Seja lá quem pegou essa agenda, estava em uma viagem forte. Ora, "*na bruta ardência orgânica da sede*" — disse Sandra, interrompendo a frase com um gole de café. Sentia uma certa lascividade nas frases. Seu pensamento logo rumou para o trabalho e para uma tarefa que pedira para o seu cada vez mais importante estagiário realizar.

O poema da agenda, contudo, foi como um persistente vinho de má qualidade, que deixa seu gosto na boca por mais tempo que o desejado.

29

— Minhas atribuições cresceram, mas tenho o mesmo salário de quando eu entrei aqui — desabafou Felipe para Edilene. As queixas seriam relatadas a Sandra com precisão nas palavras e nos termos usados pelo estagiário. Edilene usaria um pouco de sua pobre atuação para simular o jeito de Felipe.

Quando a mensagem chegou a Sandra, a chefe perguntou o que Edilene respondeu.

— Aí eu disse: "Mas tu não queria prorrogar o contrato? Me lembro bem do desespero falando do que seria quando o contrato acabasse, que queria ter logo a carteira assinada e tal" — contou Edilene, interpretando a si mesma, com direito ao "tu" típico de seu Estado natal que lhe escapava de vez em quando, apesar de morar fora dele há mais de uma década. Na versão reconstituída, Edilene parecia ter mantido o olhar firme e feito gestos grandiloquentes para Felipe, o que de fato não acontecera. Mas isso não atrapalha o sentido da coisa toda.

— E ele? — perguntou Sandra, com a cabeça curvada e um leve sorriso, como se estivesse vendo a cena perto da mesa da recepção, onde Edilene ficava a maior parte do dia. O segundo lugar era a mesa de Sandra.

— Aí ele meio que não disse nada com nada. "Ah, essa da carteira assinada tá virando lenda." Aí eu disse: "mas vai acontecer, né? Não foi o que a dona Sandra disse? Tu sabe que o RH é enrolado aqui. Vai acontecer. E aos poucos tu vai ganhar um aumento. Ou tu quer começar já ganhando tanto quanto o Donald Trump?". — Na conversa verdadeira, Edilene usara a figura de Silvio Santos, mas uma pequena modificação na história não mudaria a moral do relato.

— "Se em troca de tanta felicidade que me dás, eu te pudesse repor" — murmurou Sandra.

— O quê?

— O quê o quê?

— O que você acabou de falar baixinho aí.

— Uma bobagem que eu acabei de ler.

— Enfim, acho que o Felipe tem um ciúme doentio da Márcia.

— Será? Por quê? Doentio?

— Doentio pode ser exagero meu. Mas acho que é um pouco de competitividade adolescente. Os dois estudam juntos, sabe como é, né? — A pergunta retórica de Edilene se baseava em um conhecimento comum das duas: o estagiário apresentava um comportamento claramente competitivo no escritório. Fazia questão de dar ideias e palpites com tom de voz alto, para todos ouvirem. Uma forma tola de fazer marketing pessoal justamente num lugar onde se discutia marketing até no banheiro. Agia como um mágico iniciante tirando um coelho da cartola em um reduto onde todos já sabiam sacar ornitorrincos de bonés.

Salvo pelas vezes em que Sandra respaldava suas sugestões, era sempre rechaçado por todos.

A atitude "galo de briga" talvez funcionasse em um grupo com lógica masculina. Mas o novato ainda não tinha entendido que com mulheres não adianta estufar o peito e falar grosso. A punição por esse tipo de comportamento é ser destaque na rádio-peão.

Sandra não respondeu a Edilene. Estava com o olhar perdido na janela.

— Eeee. Está com esse sorrisinho bobo por quê, hein? O surfistão bombadão voltou para casa, é?

— Nem me fala desse defunto, esse surfista calhorda. É outra coisa, mas outra hora eu te falo. Tenho de descer pra conversar com o pessoal da contabilidade. Vou aproveitar e ver se tem jeito de dar um aumento geral aqui.

Edilene se foi em direção à mesa da recepção com a sensação de que Sandra estava a ponto de cometer um grande erro. Edilene ouvia pelos corredores que a situação não estava tão boa assim para dar aumento. Mas não seria nada mal ganhar um pouco mais.

●

Estagiários afoitos por fazerem-se notar pela chefia adoram trabalhar até depois do horário. Pudera, recebem uma enorme carga teórica na faculdade que pode, finalmente, ser posta em prática em algo concreto.

Enquanto em organizações com gestão moderna isso significa baixa qualidade de vida, cuja consequência é insatisfação, falta de criatividade e baixa qualidade de trabalho, na maioria das empresas o gesto ainda é visto como comprometimento. Uma herança maldita do taylorismo, lógica na qual mais tempo dedicado significava mais produção e, consequentemente, mais lucro.

Patrões sempre deram migalhas para os que fazem dessa mecânica seu ideal. Fato quase sempre sem sentido em um escritório de marketing que pede inovação.

Felipe estava convencido de que podia aliar o melhor das duas filosofias, ficando até depois do horário e dando pitacos em todos os temas que passavam pelos seus sentidos.

A desculpa para ficar até mais tarde naquele dia era uma ficha da comissão interna de prevenção de acidentes da GT, que pedia sugestões para melhorias. Como o formulário tinha espaço limitado de meia página A4, Felipe apelou para a infinitude de um editor de texto do computador. Depois imprimiria e anexaria ao questionário ou enviaria por e-mail à comissão, não decidira. Sandra observava — ela sempre chegava um pouco mais tarde e saía mais tarde. Teoricamente, ela deveria sair duas horas depois dele e trancar o escritório, mas já era comum os dois saírem juntos no mesmo horário. E era bom observar todo aquele esforço *naïve* do garoto tão cheio de energia e vontade. Uma injeção de ânimo.

— Estou indo embora. Precisa de mais alguma coisa? — perguntou Felipe, já no início da noite. Se Sandra pedisse para ele vigiar a tinta da pintura da parede secar até a manhã seguinte para depois produzir um relatório da experiência, tinha certeza de que Felipe faria.

— Pode ir. Amanhã quero que você dê sugestões pra campanha da pré-escola. Soluções baratas, modernas, criativas e diretas, OK? E dentro do seu expediente normal.

— Deixa comigo. É nisso que você anda pensando ultimamente? — Felipe também percebeu que Sandra estava mais distraída que o normal nos últimos dias.

— Ah, nem te conto no que eu ando pensando. Senão você me processaria.

Felipe deu uma risada amarela, fez que não entendeu bem e foi direto para casa.

●

Frase estúpida. Frases estúpidas. Não deveria ter dito aquilo.

Abriu novamente a agenda. Não a nova, que ganhara, com todos os seus compromissos, mas a velha, cheia de rabiscos e frases enigmáticas entre os horários que não estavam previamente preenchidos. Desde que lera a frase "se em troca de tanta felicidade que me dás, eu te pudesse repor", vinha buscando um sentido para ela. Era hora de tentar entender.

Folheou a agenda. Mais e mais palavras desorganizadas e sem nenhuma explicação, escritas ora em lápis, ora em caneta azul de ponta grossa.

Não tinha sentido no que estava fazendo. O café já estava na mesa e esse mistério não tinha importância nem sentido algum. Eram 7h da manhã do dia 16 de março e na lacuna desse horário o caderno trazia escrito:

No tempo de meu pai, sob estes galhos,
Como uma vela fúnebre de cera,
Chorei bilhões de vezes com a canseira
De inexorabilíssimos trabalhos!

Hoje, esta árvore, de amplos agasalhos,
Guarda, como uma caixa derradeira,
O passado da Flora Brasileira
E a paleontologia dos Carvalhos!

Quando pararem todos os relógios
De minha vida e a voz dos necrológios
Gritar nos noticiários que eu morri,

Voltando à pátria da homogeneidade,
Abraçada com a própria Eternidade
A minha sombra há de ficar aqui!

Uau. Quantos elementos familiares. Sandra logo se lembrou do tempo em que era "protegida" pelo pai dos pretendentes a namoro, em sua pequena cidade natal. Era a filha caçula de um casal que tivera três meninos antes.

Quando ficaram adolescentes, os garotos, que tinham mais ou menos dois anos de diferença entre um e outro, saíam para o clube da cidade nos finais de semana. Batiam ponto nessa que era a única opção de festa jovem da época.

Meses depois de completar 13 anos, Sandra arriscou sair com seus irmãos, como se fosse parte deles e sem fazer alarde. Depois de cumprimentar a mãe e já com um pé para fora de casa, o pai pigarreou.

Dois sinais sonoros deixavam todos na casa em estado de alerta: a música do plantão de notícias de última hora da TV, que interrompia a programação e fazia sempre alguém perguntar "quem morreu?", e o pigarro seco do pai. Ambos significavam que algo fora do normal acontecera.

No caso da primeira tentativa de festa de Sandra, óbvio que era ela o corpo estranho junto dos irmãos que provocara a manifestação do patriarca.

Mas o tempo passou e Sandra começou a pular as janelas, cercas e tudo o que pudesse fazer para se desviar do pai e dos pigarros. Certa vez, distraída, fez muito ruído pisando em um monte de folhas secas espalhadas perto da janela do quarto dos pais enquanto dava a volta para casa. Percebeu que o velho tinha despertado. Teve de se esconder na copa de uma árvore do pátio. O pai saiu com uma vela à rua. Chamava por Sandra. Já devia ter passado pelo quarto da filha.

— Sandra — dizia, com sua voz seca e grave. Podia usar "filha", "você está aí?" e um sem-número de frases. Para o pavor de Sandra, apenas seu nome era repetido. A cada repetição, crescia a vontade de se entregar e confessar que era ela quem tinha feito o barulho e estava disposta a receber uma surra de cinta. Sentia que merecia.

De repente, os chamados cessaram. Sandra permaneceu imóvel por mais quinze ou vinte minutos em cima da árvore. Parecia estar a salvo. Voltou a seu quarto, mas demorou muito tempo para pregar os olhos. Imaginava que a qualquer momento seu pai viria tirar satisfações.

Manhã do dia seguinte. O temível café da manhã em família. Sandra agia com naturalidade. Pai e mãe já na segunda xícara do forte café que a família estava acostumada a tomar. Nenhuma palavra de ninguém sobre o caso. Seria aquilo um aval velado para Sandra poder sair à noite?

Tudo o que estava escrito na agenda era muito familiar.

29d

O pai já estava morto havia quase dez anos. A mãe morava com um dos irmãos ainda na cidadezinha de Itararé, onde ambos cuidavam de uma padaria. Quem havia escrito frases tão particulares sobre Sandra? Ninguém conhecia bem a Sandra antes e pós-cidade grande daquele jeito. Não entendia o que significava o resgate dessa velha lembrança, guardada e empoeirada em algum lugar da memória.

Fazia tanto tempo que não ligava para a mãe. Fazia tanto tempo que não falava com a filha.

— Dona Sandra, o café está pronto — anunciava a empregada. O chamado na verdade era para checar se Sandra dormira depois do alerta do rádio-relógio. Agora a averiguação serviu para trazer Sandra de volta ao planeta real.

— Já vou — respondeu Sandra, que na noite anterior não conseguiu trocar toneladas de pensamento por algumas horas de sossego.

— Não vá perder o horário, hein? — insistia a empregada, que com o passar do tempo foi adquirindo uma bem-vinda e carinhosa intimidade com Sandra. Às vezes parecia a única pessoa preocupada com ela. Servia todos os dias duas torradas com manteiga derretida, uma vitamina, suco de laranja e café forte feito um coice de cavalo. Tudo feito com muito carinho e por um salário bem abaixo da média e sem registro em carteira.

A agenda do planeta real apontava uma reunião às 15h do dia seguinte com uma escola que usava o método de ensino e o material didático da Germano Thomas e desejava lançar um material publicitário reforçando a parceria.

Na gestão de Sandra, nada com a logo da Germano Thomas saía sem a inspeção de alguém do marketing central, por mais que fossem panfletos de tiragem exígua e de uma cidade a pouco mais de uma hora da capital.

Notou que o almoço na sua agenda real estava livre. O que dizia a agenda antiga e agora cheia de poemas para esse horário?

Aqui na floresta
Dos ventos batida,
Façanhas de bravos
Não geram escravos,
Que estimem a vida
Sem guerra e lidar.

    Não gostava de se sentir escrava de nada nem de ninguém. Rabiscou nas linhas do horário das 12h até as 15h.

29

O jornal foi tragado com amargura entre o sorvo de um gole de café e uma mordida no pão. Um anúncio consumiu quarenta centímetros/coluna da página de Barbosa Neto pela primeira vez. Era óbvio que a empresa onde ele trabalhava estava em crise financeira — todos os jornais sempre parecem estar pela hora da morte, desde a primeira edição. Seu espaço parecia o único intocado, um oásis de prosperidade, até então.

Barbosa sabia que estava sendo fritado internamente. Reconhecia que não rendia tão bem quanto há dois anos, quando sua coluna estava no auge e conseguia uma chamada de capa todos os dias com informações exclusivas. A tecnologia vinha roubando protagonismo dos jornais, e os executivos estavam preferindo fazer grandes anúncios em redes sociais — eles sabiam que os jornais viriam rapidinho depois da repercussão, para consolidar a notícia e passar o verniz de credibilidade que foi construído ao longo das décadas.

Barbosa tinha contatos valiosos, feitos à custa de muita puxação de saco e um personagem inventado por ele mesmo para si próprio. Com o crachá da empresa, Barbosa se transformava e passava a falar como um *gay* afetado.

Descobriu que essa era uma forma de fazer as executivas confiarem nele — toda mulher precisa ter um amigo *gay* e um heterossexual babão/adulador em volta para se sentir completa. Percebeu que os empresários homens também gostavam do seu personagem. Alguns eram *gays* enrustidos, outros gostavam de fazer chacotas com seus lenços coloridos ou chapéus rocambolescos, que o destacavam. Fato é que, em meio às piadinhas, volta e meia escapava algo a mais. Quando descobriu que havia uma tribo *gay* de gordos barbudos que se autodenominavam ursos, encontrou sua marca. Virara um jornalista urso. Bobeiras como as horas a mais que gostava de dormir no inverno eram ditas para reforçar o conceito. Compartilhava nas redes sociais imagens engraçadinhas de ursos. Todos os sinais da orientação sexual de Barbosa estavam claros, só que ele não consumava ato sexual algum com ninguém.

Quando o *bullying* dos engravatados passou a ficar repetitivo e sem graça, Barbosa apelou para outra tática: convencia focas — os jornalistas novatos — a irem a eventos e reuniões com ele. O novato se sentia prestigiado. As pessoas na festa achavam que era um namorado do jornalista estrelado. Barbosa usava a desculpa de apresentar seu novo "chaveirinho" para puxar conversa e se manter a par dos últimos podres das empresas concorrentes da fonte.

Um dia, porém, o método do jornalista saiu de moda. Agora parecia que ninguém mais se divertia com seu personagem, não importava a roupa, acessório ou história extraordinária que contava e inventava. Os jabás — presentinhos que as empresas mandavam — começaram a ficar escassos, para desespero dele, que considerava os mimos um complemento de seu salário — muito acima da maioria do jornal, mas, ainda assim, pouco para seu refinado gosto.

Sua *performance* na coluna não era mais a mesma. Passou a ser visto como um jornalista com má relação custo/benefício. E não dava mais para voltar no tempo e fazer tudo direitinho. Fizera muitos inimigos, provocara muita gente com suas observações ferinas. Não se lembrava da última vez em que sua coluna influiu na cotação de alguma empresa da Bolsa de Valores.

Precisava de um furo.

29f

A função de Felipe no escritório de marketing da Germano Thomas mudara. Com apenas uma ordem, Sandra o tirou do *checking* diário e o pôs dentro de seu carro.

— Você usa seu carro particular pro trabalho? Por que não pediu pra um motorista da GT nos levar? — perguntou Felipe na estrada.

— Eles reembolsam a gasolina. E meu carro tem ar-condicionado, música — escutavam um álbum de uma cantora de *soul* lançado no final dos anos 1990 — e privacidade.

Só nesse momento Felipe se tocara de que a viagem era realmente estranha. O primeiro indício foi sair da empresa com três horas de antecipação em relação ao horário do compromisso para fazer uma viagem rápida, que com o pior dos trânsitos levaria uma hora. Outra pista forte de que havia uma segunda intenção na tarefa era a repentina resolução de ele ter de acompanhar a chefa. Não estava preparado para ir a um colégio da rede na região metropolitana. Não sabia qual era a sua função. Ou melhor, agora, com essa história de "privacidade", a coisa estava mais clara.

Adiantados para a reunião, Sandra parou o carro em um posto de gasolina. "Está com fome?", convidou ela. Ao chegar na cidadezinha da periferia, deu voltas pelas ruas estreitas e esburacadas. Pouco esforço para o seu veículo de câmbio automático, motor 2.0 e suspensão reforçada. A trepidação mal era sentida nos bancos de couro do veículo.

O mais parecido com um atrativo turístico que encontraram depois de zanzar por quase todas as vias da cidade foi um morro com vista para um açude tão grande que parecia um lago.

— Então — disse Sandra ao parar o carro e puxar o freio de mão diante do panorama. Começaram com uma conversinha. — Essa vista é uma das vantagens de se ter o controle de sua própria agenda: você pode inserir doses de liberdade no meio de sua rotina de trabalho sem ninguém pra te regular. Você pode fazer o que quiser.

— Ahã, sei. — Felipe estava corado. Um pimentão. Sandra podia sentir a eletricidade do garoto. Nervoso, porém claramente excitado.

— Ai, Felipe... O que eu faço com você, hein? Como você diz, estou numa derrota 100% com você.

Felipe aproximou sua mão do rosto de Sandra, que olhou o movimento sem se mexer ou reagir. *Vá em frente*, berrava mentalmente. Felipe entendeu, afagou o rosto da chefa e a beijou pela primeira vez. Houve uma leve batida dos dentes, típica dos amantes afoitos ou que ainda se desconhecem. Nada que comprometesse o amasso diante de uma vista longe de ser das mais belas da natureza, mas que, considerando a cidade em que moravam, dava para o gasto.

Felipe passeava as mãos pelas curvas de Sandra. Primeiro nas laterais do corpo, depois com o antebraço no seio dela, sempre sem desgrudar as bocas. Sandra o impediu de apalpar com a palma da mão seus fartos seios. Não queria que o garoto fosse muito rápido, era hora de curtir. E, mais importante, não queria perder o comando.

30

Quando Felipe estava para gozar, fazia caretas, rilhava a dentadura e choramingava como um vira-lata. Depois, fazia um pouco de carinho, para compensar o recolhimento de seu membro, que parecia uma tartaruga assustada no pós-sexo.

— Tchau, amanhã tenho prova cedo. — Era uma das suas típicas despedidas.

— Não se esqueça de trancar a porta ao sair. Da última vez...

— Está bem, pode deixar — disse ele, recolhendo o *pen drive* que estava espetado no computador. Felipe levava em seu chaveiro dois *gigabytes* de música, o equivalente a cerca de trinta álbuns, em um pequenino *pen drive* de prata. Gostava de bandas *indie* e de rock sessentista. Na primeira vez em que foi para a cama com Sandra, estavam escutando uma coletânea da banda inglesa The Kinks. Sandra deixou que o garoto colocasse a música que bem entendesse. Francamente não se importava com isso.

Logo Felipe terminou de amarrar o tênis e se foi. Estava levemente alcoolizado. Só se daria conta no dia seguinte, ao perceber que o taxista cobrara o dobro do preço tradicional pelo trecho entre sua casa e a de Sandra.

Estatelada na cama, Sandra se sentia leve. Estava com seu humor eufórico-ébrio, o que era sinal de que devia parar de tomar aquela cerveja morna.

Nua, caminhou a passos trepidantes até o banheiro para escovar os dentes. Ficou diante do espelho.

Nossa, que loucura é essa? O estagiário acabou de sair do meu apartamento?

Sandra ria com a traquinagem. Logo fez uma expressão séria com o rosto. O que era aquilo? O que significava (fora o fato de estar levemente bêbada)?

Desde aquele amasso antes da reunião, a relação entre eles evoluiu a passos largos em todos os sentidos.

No plano profissional, Felipe tinha novas atribuições e ganhou autonomia para tomar decisões diante dos terceirizados. No dia anterior, Felipe pegou pesado com uma agência que furou o cronograma de uma brochura. Fez escândalo no telefone. OK, um dia de atraso não era terra arrasada. O estagiário deixou bem claro que aquele tipo de erro não seria tolerado pela GT. A conversa por telefone causou mal-estar e cochichos em todo o escritório. Faltava controle emocional no moleque. Sandra tampouco achou a atitude do garoto adequada, mas entendia que ele queria o melhor para a empresa, logo não era de todo mal. Sem contar que ele era um menino e estava ainda deslumbrado com o poder.

Admirável garoto novo, que volta e meia citava algum autor de *best-seller* carreirista, não se dava conta de que um dia podia vir a necessitar dos que estavam a sua volta. Sair dando pontapés nos terceirizados poderia vir a fechar portas para o futuro profissional de Felipe. Eis um assunto a ser discutido em breve com o estagiário.

Apesar da acintosa discussão por telefone, ninguém foi até ele dar uma reprimenda ou perguntar o que tinha acontecido a Felipe.

Márcia, que deveria zelar pelo aprendizado do rapaz, abandonara a função de forma tácita. Sandra notara isso. Não saberia dizer se estava dando muita bandeira. Se tinha alguém capaz de descobrir ou desconfiar de um relacionamento constrangedor era Márcia, a mais perspicaz da equipe. A jovem estava obviamente se sentindo ameaçada com a súbita ascensão do colega de classe. Era hora de dar umas folgas ou retomar as marcações de viagens de negócios para os empregados, a fim de acalmar o ânimo da equipe.

Na relação extraescritório, a promoção do garoto na vida de Sandra era ainda mais visível. Sempre que ficava até depois do horário, Sandra oferecia uma carona até sua residência. Não era caminho da casa de Sandra, mas era uma excelente desculpa para eles darem uns beijos no estacionamento de uma lanchonete vagabunda qualquer. *Fast-food*.

A primeira vez em que o trajeto da casa de Felipe sofrera um desvio pela cama de Sandra não foi a experiência sexual mais agradável da marketeira. O garoto ejaculou nas preliminares. Mas se tinha um lugar em que ela sabia atuar era na cama. No final, o garoto saiu achando que era "o cara". Com o passar das semanas, realmente evoluiu bastante, o suficiente para ser digno das técnicas sexuais de Sandra e seu colar de pérolas.

No íntimo, Sandra se divertia ao ver seu estagiário cheio de citações de Jack Welsh na cabeça virar um cordeirinho na cama. Em cima de seu colchão, não tinha democracia, opiniões ou contradições. Mandava prender e soltar ao seu bel-prazer.

Sentiu que o andar da carruagem estava rápido demais quando viu Felipe vestindo o roupão com uma âncora no coração que outrora era do surfista-babaca-ex-namorado. Seria Felipe um idiota também? Com o surfista também parecia tudo uma maravilha no começo. No fim... Melhor era esquecer aquele fim.

Mas a sensação de estar com o ex ficou ainda mais clara quando Felipe, vestido com as roupas do outro, foi até a geladeira, pegou uma lata de cerveja e a deixou na mesinha de madeira sem o apoio para copos. A mesinha ficaria marcada. Não pediu permissão. "Está ficando tarde, né?", falou Sandra, deixando claro para Felipe que nas entrelinhas a mensagem era VÁ EMBORA. Escafedeu-se rápido, sem se deter com muitos detalhes.

Mas a impressão de que o relacionamento com o estagiário era uma volta a um passado lamentável se dissipou quando Sandra leu o conjunto de frases enigmáticas daquele dia:

Quando Ismália enlouqueceu
Pôs-se na torre a sonhar...
Viu uma lua no céu,
Viu outra lua no mar

No sonho em que se perdeu,
Banhou-se toda em luar...
Queria subir ao céu,
Queria descer ao mar...

E, no desvario seu,
Na torre pôs-se a cantar...
Estava perto do céu,
Estava longe do mar...

E como um anjo pendeu
As asas para voar...
Queria a lua do céu,
Queria a lua do mar...

As asas que Deus lhe deu
Ruflaram de par em par...
Sua alma subiu ao céu,
Seu corpo desceu ao mar...

O espírito de um rinoceronte furioso foi atingido por um sedativo poderoso. Não tinha por que se importar tanto com aquela mesinha vagabunda. A agenda tinha razão. O autor daquelas frases tinha razão. Precisava bater as asas e subir ao céu, sem se importar com essas coisas mundanas. O garoto estava levemente ébrio, ela também. Teve vontade de ligar para pedir desculpas.

As olheiras de Sandra ficavam mais evidentes quando ela bebia. Quando entrava em transe diante do espelho, então, se sentia uma bruxa. Daquela vez, não. Estava em paz consigo mesma.

Atribuía essa harmonia interna às leituras diárias da agenda poética ou filosófica — apelidos que ela dera ao caderno, mas que não dissera a mais ninguém. Notou que, para manter essa sensação benéfica, precisava seguir algumas regras. Primeiro só lia o texto do dia. Sempre que examinava frases do futuro ou do passado dos dias da agenda, sentia que seu dia perdia o eixo e o sentido. Parecia que as frases só adquiriam sentido para o dia em que foram anotadas. Sandra era batizada na Igreja Católica, mas não frequentava missas. Tinha certa consideração pelos ensinamentos de energias, cristais e sinais deixados pela mãe. Geralmente engolia essa sua faceta mística porque sentia que era mal interpretada quando a revelava. Para si mesma, Sandra dizia manter 4% de suas informações pessoais guardadas para si e só para si. Não compartilhava com ninguém — nem mãe, nem pai, nem namorado, nem melhor amiga. Nem sob tortura. Jamais confessaria, por exemplo, que começa a ler os jornais e revistas pelo horóscopo. Tratava esse hábito como um passatempo inocente e não dava muita importância ao que lia, mas tinha certeza de que essa informação ruiria com toda a sua credibilidade.

O estagiário, quem diria, estava a ponto de ter confiança suficiente para acessar os 96% da consciência de Sandra. Na última manhã em que acordaram juntos, ela se abriu. Falou muito, ficou com a alma mais leve. Os desabafos uniam a emoção de andar em uma corda bamba com a segurança de uma rede de proteção abaixo, cuja responsabilidade de ser montada era de Sandra. As sábias frases da agenda a fizeram entender isso.

Estava convencida de que quem escrevera tinha verdadeiros poderes de previsão. Ou alguém que a conhecia profundamente. Conhecendo até boa parte desses guardadíssimos 4%.

Sentia-se frustrada nos dias em que não havia nenhuma frase composta por aquelas linhas irregulares — ora parecia de uma criança caprichosa sendo alfabetizada, cujas letras são simétrica e grandes, ora parecia de um médico com pressa. Se não tinha nada escrito, segurava a tentação de não avançar à próxima página para ler o resto.

Também entendera que não devia voltar às frases do dia anterior. Por último, criara como hábito tentar interpretar as orações pela manhã, horário em que estava com a cabeça geralmente sóbria. O que não era o caso naquele momento. Maldito uísque, precisava dormir.

— A gente só esquece o que quer. Minha cabeça lateja. — Espere, Sandra se dera conta de que dissera isso em voz alta. — Loucura? — disse, gostando de ouvir sua própria voz, com a leve reverberação que o ambiente proporcionava, mas que só ficava evidente quando a casa e a cidade estavam silenciosas.

Imaginava outra manhã de trocas físicas e emocionais. Planejava fazer café na cama para o moleque. Assim, a brincadeira da corda bamba duraria mais tempo.

Quando sentiu o teto parar de girar, Sandra adormeceu. Despertou no dia seguinte, atrasada — rádio-relógio, liquidificador, chamado da empregada, nada adiantou para fazê-la despertar e chegar ao trabalho sem um injustificável atraso de três horas.

31

Acordou com vontade de tomar um copo de água. Era cedo, o dia estava ainda clareando. Passou diante do quarto de Carrano e não o viu. Nada digno de nota se o dia fosse quinta ou final de semana. Mas nas terças-feiras, o poeta geralmente não voltava tão tarde.

E o quarto do tio estava mais bagunçado que o normal e com a janela aberta. Binho não podia entrar no quarto do poeta sem permissão. Só o fez por ter a desculpa da janela aberta. Aproveitou para dar uma olhada. Ao lado do colchão de Carrano estavam as tradicionais folhas com rascunhos de poemas, mapas da cidade, receitas médicas e o carnê de pagamento do *video game*. Remexendo na desordem, Binho achou que estava em um pesadelo: latas amassadas do "artesanato", isqueiros, pequenas trouxas plásticas e um caderno com nomes, telefones e cifrões.

Sem conseguir tirar da cabeça a impressão de que seu tio estava tomando o caminho do pai, Binho não conseguiu voltar a dormir.

32

Quero ir aí te mostrar um artigo interessantíssimo publicado em uma revista hoje — escreveu Pepê a Sandra por meio de uma mensagem de texto do Skype, *software* de comunicação padrão entre os funcionários da GT. Sandra sabia que essa era uma desculpa que Pepê usava para dizer que queria falar com ela. Pepê temia que o *software* fosse monitorado, então para certas coisas ele começava a falar em código.

Ele também tinha receio de que Sandra, uma das alunas mais espetaculares que passou pela GT, perdesse o foco ou fizesse alguma bobagem. Grávida precoce, Sandra foi mais longe que a maioria das suas colegas de turma. Agora, com filha já criada e fazendo intercâmbio num país distante, não era hora de tropeçar.

Pepê chegou no final da tarde, interrompendo uma conversa animada entre Sandra e Felipe. A cena fez Pepê ficar alerta. Tudo bem que Sandra, uma *workaholic* que era quase uma caricatura, estivesse trabalhando até tarde — ela ganhava bem para fazer esse tipo de coisa. Agora, o estagiário, não. Ele não tinha nada o que fazer. Uma rápida olhada na tela do menino revelou que ele estava com várias janelas de *sites* de relacionamento minimizadas.

A presença de Pepê fez com que os dois mudassem de assunto. Pepê pacientemente conduziu dez minutos de conversa amena com Sandra, mas que não fazia o menor sentido para Felipe. Coisa de gente que dividiu a mesma geração, sabe como é.

Felipe, então, foi embora. Imediatamente depois que a porta bateu, Pepê perguntou se estava tudo bem com Sandra.

— Comigo? Sim, eu estou ótima.

— Tenho ouvido coisas que me deixaram preocupado. Tenho te notado meio vaga.

— Ah, é? Quando?

— Dizem que sua equipe aprovou uma peça com um erro de português grosseiro.

— Não é tão grave, senhor professor. Toda empresa fez isso, a menina que deveria averiguar isso estava...

— Você — interrompeu Pepê — é a responsável por isso. E não venha me dizer que a demora em aprontar e aprovar os estudos para a nova unidade do colégio atrasaram por causa de uma de suas "meninas".

— Germanão, Germanão... aqui as notícias voam, né? Sim, o estudo da viabilidade de mercado dessa nova unidade teve um atraso e...

— E tem mais — tentou interromper de novo, mas desta vez, Sandra não deixou e retomou a palavra, falando com voz exagerada e teatral:

— Negra lembrança do passado! Lento / Martírio, lento e atroz! Por que não há de / Ser dado a toda a mágoa o esquecimento? — citou Sandra, da página da agenda que lera na manhã, até aquele momento sem perder o sorriso. O mantra pareceu criar um escudo de autoestima para Sandra, que não se deixou abalar. — E tem mais o quê, seu Pepê?

Pepê ficou atônito com o deboche e a agressividade. Não esperava esse tipo de discussão.

— Você fala muito de suas meninas, mas e o seu menino? Ele sempre fica aqui até tarde e parece que vocês dois já foram vistos saindo juntos.

— Uma amizade. Algum mal nisso?

— Sandra, convenhamos. Ele é um estagiário, um adolescente. Você resolveu fazer amizade com um moleque? Logo você, tão exigente, cheia de tentar manter a imagem, de ter como regra não misturar trabalho e vida particular.

— Acho que essa conversa não vai nos levar a lugar nenhum, Pepê. Sinceramente, acho que você está muito exaltado.

— Eu? Tudo bem, Sandra, você pode ignorar tudo, mas não se esqueça do relatório trimestral de percepção da marca. Escute isso de seu velho professor, amigo e diretor da Germano.

— Está tudo sob controle — disse Sandra, sem conseguir disfarçar que tinha se esquecido completamente do estudo. Mais grave ainda é que, pelo tempo de convivência, Pepê sabia perfeitamente que, quando nervosa, sua ex-aluna coçava os olhos, como havia acabado de fazer.

33

Sonhou mais doido aquelas formas lúbricas...
Mais nuas sob um véu.
É o mistério do espírito... A modéstia
É dos talentos reis a santa púrpura...
Artista, és belo assim...
Este santo pudor é só dos gênios! –
Também o espaço esconde-se entre névoas...
E no entanto é... sem fim!

A agenda acertou na mosca de novo. Mas não era hora de se entreter com os vários significados que as frases tinham. Era hora de fazer sua parte. Sem tirar o pijama, Sandra ligou o *laptop* que já estava em cima da mesa em modo espera, com todo o trabalho feito na noite anterior em *stand by*.

Sandra tinha de organizar as várias pesquisas de opinião que eram feitas mensalmente com alunos, pais de alunos, funcionários, pessoas que moram perto de escolas Germano e gente que não se encaixa em nenhum desses grupos. Isso sem contar a imagem que a instituição teve na internet no trimestre, relatório vedete dos velhacos da diretoria que recentemente descobriram as redes sociais. Sandra tinha convicção de que elas não faziam tanta diferença assim. "Manda quem pode e obedece quem tem juízo." Essa não era da agenda. A frase foi repetida várias vezes pelo pai de Sandra ao longo de sua infância. A filha de Sandra também vivia usando a frase-muleta do avô. Pai, filha... antes de começar o relatório, era hora de dar uma atenção aos parentes.

A filha aparecia *on-line*, mas frustrou Sandra não respondendo à inocente pergunta "como vc está?". Quinze minutos de espera, fecha a janela.

Cogitou ligar para algum parente de sua cidade natal, mas, às vezes, as conversas com os velhos eram tão intensas que tirariam forças necessárias ao preenchimento do tal relatório. Aliás, tinha alguém vivo por lá? Ao trabalho, então.

Quando Sandra começava a esquentar com as planilhas, por volta das 11h, a porta de entrada se abriu, sem campainha ou chamada no interfone. Por reflexo, ela imediatamente levantou e pegou o telefone. Mas Felipe estava longe de ser um caso a ser resolvido pela polícia. Na realidade, em termos de Código Penal, quem estava infringindo a lei era ela, que mantinha relações com um menor de idade.

— Bom dia, te assustei? — chegou Felipe, com seu sorriso cativante e uma mochila. A mente de Sandra ainda voava, pensando no porteiro que deixou o moleque entrar sem se identificar.

— Não, está tudo bem. Quer um café?

— Não, obrigado. Você está pronta? — disse, encostando a mochila na mesa.

— Pronta?

— É. A gente não tinha combinado ir pra praia hoje?

Era verdade. Se tivesse ainda o hábito de usar uma agenda para anotar compromissos, não seria surpresa.

— Ai, Felipe. Esqueci, acredita? Poxa, eu tenho um trabalho pra terminar aqui e acho que hoje não vai dar. Você vai ficar bravo?

— Não tem galho, não tem problema... a gente vai na semana que vem. Precisa de ajuda?

Sandra sabia que Felipe, neste caso, mais atrapalharia que ajudaria. Era necessário pensar em paz.

— Pode deixar comigo. Aproveita o teu final de semana. Quer que eu pague um táxi pra você voltar?

— Opa, peraí — disse Felipe se aproximando. — Não posso nem ficar por aqui um tempo? — O jovem, de pé, acariciava os ombros de Sandra. — Vamos lá, Sandy. Um pouquinho de atenção, é tudo o que eu peço — sussurrou.

A pelve de Felipe roçava no ombro de Sandra. O garoto parecia querer mostrar que estava com o pênis duro, o que estava longe de provocar qualquer excitação em Sandra.

— Felipe, por favor. Tenho um monte de coisa pra fazer — tentou Sandra, pela via diplomática ainda. Felipe insistiu.

Sandra se viu enredada em uma situação da qual era a culpada. Quem deixou Felipe ter essa intimidade toda foi ela. Agora tinha de pagar.

Tirou as mãos do teclado e abriu o zíper da calça de Felipe. Com o olhar firme nos olhos do garoto, ela baixou a cueca dele, mas só o suficiente para pôr o pênis dele para fora. Sandra logo abocanhou Felipe. Sandra fazia sexo oral sem retirar o pesado olhar. Felipe até manteve sua mirada cruzando com a de Sandra pelos primeiros dez segundos. Ela fazia movimentos rápidos com suas mãos, estimulando a bolsa escrotal do moleque, e a boca. Um ataque sem aviso prévio aos hormônios que comandavam o corpo do garoto, que, sem tardar, reagiram com uma ejaculação.

Sandra deu uma cusparada com sêmen e saliva no chão de pedra negra. Esfregou as costas de uma mão na boca e depois essa mão na outra para se limpar.

— Eu gosto de você — disse Sandra, baixando o olhar para o pênis do garoto já perdendo suas forças. —Você é um rapaz precoce. Agora me deixe trabalhar.

Humilhado, Felipe chorou de raiva diante do espelho do elevador, enquanto se dirigia à saída do prédio.

O relatório foi concluído três horas e meia depois.

34

Com uma noite mal dormida pesando nas pálpebras, Felipe foi trabalhar. Na cama, sua cabeça dava *loopings* imaginando o que aconteceria dali em diante. A alguns passos da entrada, fez a matemática. Com Priscila, colega de trabalho que fazia praticamente o mesmo horário de Felipe, de férias, ele estaria sozinho com Edilene e Sandra por algumas horas durante um mês.

O plano era fazer de conta que nada tinha acontecido, cumprimentar a todas e foco absoluto no trabalho.

Mas nada disso foi necessário. Nem Sandra, nem Edilene estavam. Onde estariam então? Falando do quê? De quem?

O telefone de Edilene tocou. Felipe puxou a ligação do ramal mais próximo de seu posto de trabalho.

— É realmente urgente, nós vamos publicar no *site* daqui a pouco. — Era o jornalista Barbosa Neto, implorando por um posicionamento da empresa referente à ideia de *Miss* Gluck de saltar nua enrolada com a bandeira do país. A patricinha tinha postado em uma rede social que faria o ato para pedir o fim das queimadas nas florestas. Felipe disse que não tinha como responder, mas em breve iria passar o recado para a assessoria de imprensa ou para Sandra.

— Me passe seus contatos que eu peço pra alguém retornar.

35

O telefone chamou sete vezes antes que Andressa, a filha de Sandra, atendesse.

— Filha? — Sandra queria saber notícias. — Está tudo bem? Como estão as coisas aí na Austrália? Está estudando direitinho? Está com saudade de casa? E o tempo?

Sandra só conseguia arrancar respostas monossilábicas de sua filha, que dizia estar ocupada, que estava a caminho da faculdade. Era manhã lá, madrugada de embriaguez aqui.

Andressa fez sua mãe prometer que não iria interagir publicamente nas redes sociais com ela. Estava permitido apenas mandar mensagens privadas. Acostumada a lidar com internet no trabalho, Sandra acatou e passou a ser uma *voyeur* da própria cria.

Antes do intercâmbio, Sandra e Andressa eram superapegadas. Faziam diversos programas juntas — Sandra estava presente no primeiro porre da filha, uma história íntima que aborrecia Andressa quando era lembrada na frente de terceiros. Viam-se todos os dias, geralmente não brigavam, apesar de Sandra ter transmitido seus genes de personalidade forte para a herdeira. O intercâmbio estava fazendo bem para a jovem, que curtia a vida pela primeira vez sem ter a mãe ou uma babá tutelando. No momento em que ela entrou no avião, Sandra entendeu que as novidades seriam escassas, afinal, eram muito parecidas. Sandra só fez a filha jurar que caso algo de ruim acontecesse iria comunicar imediatamente. Tinha um cartão internacional guardado entre suas roupas íntimas com limite suficiente para voltar ao Brasil, não importasse onde estivesse. Se Andressa não estava ligando, era porque estava tudo bem. Certamente a família que a acolheu estava gostando da interessada e interessante Andressa.

E Andressa? Como estaria reagindo estando pela primeira vez em meio a uma família estruturada? Sandra havia prometido a si que a viagem da filha seria uma ótima deixa para ela mesma tirar férias, curtir e conhecer a si própria.

Há quanto tempo Sandra não abria sua agenda invadida?

Como o triste marinheiro
Deixa em terra uma lembrança,
Levando n'alma a esperança
E a saudade que consome,
Assim nas folhas do álbum
Eu deixo meu pobre nome.
E se nas ondas da vida
Minha barca for fendida
E meu corpo espedaçado,
Ao ler o canto sentido
Do pobre nauta perdido
Teus lábios dirão: — coitado!

Nada pior que um presságio indecifrável.

36

Final de expediente, fim de uma semana insuportável do começo ao fim para Sandra e Felipe. Principalmente para ele, já que Sandra mal parava no escritório. Ela, no entanto, estava lá, prostrada em sua mesa no último dia de Felipe como empregado da GT. Não era para assistir a um espetáculo de crueldade. Sentia que, caso ele ficasse muito emocional, iria agir. Mas, se ele encarasse bem, deixaria tudo nas mãos de Edilene.

Felipe não se dava bem com Edilene. Aliás, ninguém no escritório parecia se dar bem com Edilene, nem entender a importância que ela tinha para o equilíbrio de Sandra. Parte da antipatia despertada, Sandra sabia, se devia ao péssimo uso que ela fazia de maquiagens. Edilene tentava afinar o nariz usando base mais escura nas laterais, o que resultava em duas linhas muito claras. Ou tinha dia em que ela passava o lápis de uma forma muito grotesca para tentar aumentar os lábios. Nesse dia, ela estava com o nariz estranho. E com a boca feia.

Sandra um dia tomaria coragem de dizer para Edilene que não, isso não é legal.

Edilene chamou Felipe para conversar em uma mesa mais afastada da de Sandra, mas ainda no campo visual da diretora. Edilene entregou para Felipe uma carta de recomendação assinada por Sandra ("não há nada que desabone a conduta deste promissor profissional blá-blá-blá"), dinheiro e papelada para assinar. Felipe estava despedido. Olhava para Sandra, que estava de cabeça baixa, simulando fazer cálculos importantes com planilhas complexas.

— Tenho certeza de que você vai encontrar rapidinho um novo emprego. Tu é jovem, é precoce em tudo.

— Com inteligência emocional quase inexistente, Edilene achou que foi sutil. Ela não conteve um sorriso, que simbolizava todo o orgulho por demonstrar seu micropoder político dentro do escritório. Felipe não pediu explicações. Foi até o computador onde trabalhou nas últimas semanas e, antes de desligar, encaixou seu *pen drive* prateado na entrada USB da máquina. Com cliques ágeis, apagou as dezenas de pastas — inclusive a coletânea do The Kinks — com arquivos de música e copiou alguns arquivos que estavam no PC. Não cumprimentou ninguém ao ir embora. Dava para ver que segurava o choro.

Depois que o agora ex-estagiário fechou a porta, Edilene olhou para a chefa. *Peguei pesado?*, dizia sua expressão preocupada. Sandra, com o olhar frio, fez um sutil gesto de aprovação, o que tranquilizou Edilene.

37

— Olha, parecia uma pessoa bem humilde — descreveu o porteiro do GT à Sandra, que havia questionado sobre o homem que entregara a agenda. Humilde, claro, significava pobre.

— Ele deixou um telefone de contato?

A carreira do porteiro Antônio Almeida foi repassada em um *flash* diante de seus olhos depois dessa pergunta. Sim, o cara tinha deixado um telefone. Mas Antônio jogou fora uma semana depois o papelucho onde anotara. Era praxe. Antônio hesitou diante da iminência de desafiar o axioma "mentira tem perna curta" que tanto repetia aos seus três filhos. Vai que o cara era amigo de Sandra e contava que tinha anotado num pedaço de rascunho o telefone. Pelo sim, pelo não, Antônio optou por dizer a verdade.

A reação de Sandra foi de decepção, mas, para alívio de Antônio, nada forte a ponto de despedi-lo. Sandra se dirigiu caminhando, pensativa, para o elevador.

Se atirou no ângulo do ascensor, tal qual uma boxeadora exaurida. Logo percebeu estar sendo observada. Um aviso na porta pedia para Sandra sorrir, pois estava sendo filmada por uma câmera que pendia no teto. A diretora de marketing já deve ter dado uns quantos bons shows para quem assistia a esses vídeos? Choros, socos, caminhadas em círculos, cantorias... Apertou o térreo de novo.

Mal a porta do elevador se abriu e Antônio já ouvia Sandra disparar perguntas sobre onde estava a gravação da recepção do dia em que a agenda foi devolvida.

38

Sandra começou sua ligação para Carrano pedindo que este não desligasse. O chamado era resultado de uma longa jornada na empresa que presta segurança para a GT. O trabalho foi maior que o esperado. A começar, pelo péssimo sistema de busca do circuito interno de imagens. Depois, ficou indignada quando se deparou com as imagens em baixa resolução e em preto e branco das câmeras da empresa. As câmeras serviam apenas como um espantalho para bandidos, porém dificilmente eles teriam o comportamento de corvos ao tomarem conhecimento da péssima infraestrutura.

Teve um trabalhão para, através do movimento da mão de Antônio, que anotou em um papel o telefone, chegar ao número de Carrano. A ligação para Carrano era a sexta tentativa de onze números de telefones possíveis. Quando escutou o "alô" dele, Sandra sabia que era o poeta que buscava. E desligou.

— Foi você que me ligou várias vezes ontem sem dizer nada? — A voz dele era pesada, suja, grave, mas sem exageros. Formulada de maneira direta, Sandra confirmou que sim, era ela quem vinha agindo como uma criança chata. Não tinha orgulho disso.

— E como posso te ajudar?

Sandra já estava preparada para essa pergunta. Ficou feliz por não ter soado agressiva. O poeta a esperava, analisou Sandra. Leu, puxando mais ar do que de costume ao pulmão, a passagem de seu diário para aquele dia:

Ouço em tudo teu nome, em tudo o leio:

e, fatigado de calar teu nome,

quase o revelo no final de um verso.

Em tom menos enfático, ela logo explicou o quanto admirava o trabalho de Carrano e que gostaria de vê-lo pessoalmente. Podiam marcar um encontro no França Café. Carrano se sentiu atordoado com aquela conversação inesperada. Concedeu um encontro, mas não no França Café.

38b

Pôs o telefone no gancho e logo foi se sentar ao lado do sobrinho, que estava com os olhos vidrados em uma série televisiva de adolescentes endinheirados que estudavam em uma escola que exigia gravata no uniforme.

— Em que bairro você gostaria de morar?

A pergunta de Carrano era cheia de boas intenções, mas a resposta doía em Binho, que mal conhecia a região central da cidade. Vivera sempre nas imediações da vila e raramente saía dali. Sozinho, nunca foi ao centro. Da última vez em que caminhou pelas calçadas da região central, ficou olhando fixamente o cume de um arranha-céu. Ficou apavorado ao ter a ilusão de que o prédio estava caindo. Binho tem vergonha dessa história, que só o tio conhece.

— Estou pensando em ir para um lugar mais confortável. Sem barro, com dois quartos. O que você acha?

Essa pergunta era mais suave.

— Acho ótimo.

Binho, jovem geralmente cético, acreditou. Nas últimas semanas, a despensa da casa não apresentava problemas de escassez. Comprar ou alugar uma casa maior parecia razoável. Binho estava curioso para saber quais eram as opções.

Carrano sabia que o caminho que tomara era arriscado. Mas, pelo garoto, valia a pena.

39

Barbosa Neto fora e voltara do bebedouro incontáveis vezes. Alguns colegas de redação sabiam que isso era sinal de que ele tinha uma boa história na mão. Mas não adiantava sondar nada com o colunista. Só daria evasivas a todos. Salvo para o redator-chefe, com quem teve uma conversa privada.

— Está quase tudo confirmado. Acho que a matéria já se sustenta. A fonte é boa — disse Barbosa para seu editor, um jornalista experiente, que parecia carregar cicatrizes duras do dia a dia de uma redação. Parecia ter mais idade do que a fundação do jornal. Conversaram no chamado "aquário", uma sala de reuniões envidraçada onde diariamente, às 11h, as pautas que seriam apuradas durante o dia eram decididas. O lugar mais discreto da redação fora desse horário. Sinal de demissão ou promoção quando o redator-chefe estava lá com mais alguém. Pelo gestual de Barbosa, ficou evidente para todos os colegas que a notícia era boa para ele.

Muita gente acha que o jornalismo é *glamour* e aventura. Barbosa e o redator-chefe, no entanto, sabiam que a profissão tinha mais a ver com café ruim de máquina servido em copos plásticos baratos e *laptops* que travam. Cada um dos dois jornalistas tinha diante de si esses objetos.

— Mais alguém tem isso? — Os outros "alguéns" que o editor queria saber eram veículos de imprensa concorrentes.

— Não — respondeu Barbosa Neto.

O editor então batucou no *notebook* que tinha diante de si.

— As ações da Germano Thomas estão estáveis na casa dos R$ 23,00. Não têm um grande volume de negociação já há um bom tempo. Estão longe da alta histórica, mas não vão nada mal. Vamos segurar um pouco mais. Quando estiver próximo da divulgação trimestral de resultados da empresa vai ter mais impacto. Antes, trate de confirmar tudo. Não gosto de "quase".

Barbosa teria sua coluna, emprego e prestígio interno garantidos por mais um mês e meio, ao menos.

40

O que esse bando de gente faz nos parques em plenas tardes de dias úteis? Essa era uma das perguntas que Sandra volta e meia formulava, com uma de suas típicas reprovações invejosas. Mas, dessa vez, ela era um deles, pois fizera mais uma travessura com seus compromissos. Em seu caminho até a entrada do planetário do parque, deparou com membros da tal geração saúde — gente que fica suando correndo pela pista do lugar ouvindo música em fones de ouvido. Os aparelhos são geralmente colocados em volume máximo. Os atletas passam fazendo um som parecido com o de moscas. Sandra usaria repelente antiatleta de parque caso tal produto existisse.

Para ocasiões como a daquele dia, ela sempre se sentia ressabiada por não ter investido parte de seu ordenado e tempo na academia de exercícios físicos. As circunstâncias a fizeram enfocar na academia intelectual, para fins práticos. Agora já lhe parecia tarde demais. A solução para não expor seu corpo com Índice de Massa Corporal acima da margem de tolerância de um jeito informal foi uma bata. Colocou a mais colorida que tinha, em tons de violeta e verde. Nem morta usaria no trabalho. Mas, para se encontrar com um poeta que fala das levezas da vida, por que não? Também foi com uma maquiagem neutra, só para corrigir uma coisinha aqui e ali.

Carrano veio com seu uniforme branco encardido, indumentária que fazia a roupa de Sandra parecer formal.

Mesmo em meio aos neo-*hippies* que frequentavam o local, Sandra sabia que aquele era o seu poeta. Apesar de ter alguma noção a partir das imagens de baixa definição da câmera de segurança, ele era bem diferente do que imaginava. O pensador imaginado por Sandra não tinha uma bicicleta tão antiga, com freio acionado por pedalada reversa, nem aquela papelada que transbordava das sacolas plásticas espremidas no cesto do veículo enferrujado. Na cabeça de Sandra também não havia o cheiro de suor, muito menos a pele tão maltratada. Os poetas não trabalhavam na escuridão de um quarto? Então o que explicava a cútis de lavrador?

Detalhes, detalhes. Apresentações:

— Oi, eu sou Carrano.

— Oi, eu sou Sandra — disse ela, fazendo questão de usar as mesmas palavras do poeta. *Droga, estou fazendo* rapport *com ele como se fosse um encontro de negócios*, pensou, lembrando de uma das técnicas de PNL (Programação Neurolinguística) que usava já naturalmente, sem se dar conta. Houve um abraço curto, meio desajeitado, provocado por Sandra e seguido sem resistência por Carrano. A conversa estagnou logo em seu primeiro passo. Ambos estavam tensos. O motivo do encontro foi sacado da bolsa de Sandra.

— Isso aqui é, isso aqui eu leio todos os dias e... eu não sei qual é a intenção e eu não quero te pressionar. Tenho muitas dúvidas e gostaria que, se fosse se sentir confortável para responder, falasse a verdade e com todo o tempo que achar necessário para pensar. Não quero incomodar. Na verdade, acho que você me deu um presente, o mais importante do mundo para mim. Para você pode parecer algo natural, banal. Vejo que você produz muitos pensamentos. Os que você colocou nessa agenda são muito especiais. Pelo menos pra mim.

Sandra percebeu que talvez estivesse falando demais. Ele não respondia entre as pausas colocadas entre as frases, verdadeiras deixas sociais. Sandra queria ouvir, mas não conseguia parar de falar.

— Olha só o que dizia justamente para hoje:

> Recomeçava o solo pungente do sabiá.
> As árvores estremeciam.
> As nuvens paravam para escutar.

Nova pausa. Carrano olhou de um lado para o outro, mas não abre a boca.

— Eu não sei de que maneira, mas entendi que hoje, nesse dia, a poesia fala de você. Curiosamente você tenta se disfarçar com o gênero feminino, apesar de vários desses textos dirigidos a mim terem sido sobre os quais colocados em gênero masculino. Esse é um dos aspectos sobre os quais eu queria conversar. Sem contar as coincidências no tempo, nas inacreditáveis previsões que você fez. Tudo se encaixa de uma forma tão... Desculpe, faltam palavras pra mim justo agora, diante de um mestre da palavra.

As expressões que Carrano fazia pareciam as de um pássaro amedrontado, mas sem asas para sair voando. Sandra sentia que fora muito em cheio. Maldita afobação. Maldita ansiedade. Suspirou.

— Deixa eu começar de novo. Oi, eu sou Sandra. Trabalho com marketing e sou uma grande fã do seu trabalho — disse a marketeira, esticando a mão para Carrano. — Será que a gente pode se conhecer melhor?

Parecia que saía fogo dos olhos de Carrano. Um calafrio partiu da cintura de Sandra e percorreu as costas dela até a nuca. Para alívio de Sandra, o poeta retribuiu o aperto de mão.

◆

Em crise criativa, Carrano tinha decidido para si largar a poesia. Resolvera investir em trampos mais pragmáticos, que poderiam dar um retorno melhor e mais rápido. Não havia dito a ninguém sobre o assunto. Estava desfrutando o momento, o aperto de mãos no maior parque da região central da cidade com uma executiva que se declarava fã de seu trabalho. Nem Carrano se lembrava da poesia citada por ela, que se mostrava uma verdadeira fã. Nunca antes visto nem sentido por Carrano. A chama do orgulho de sua escrita voltava. Alguém finalmente parecia ter entendido sua mensagem.

Seguiram caminhando pelo parque. O poeta estava com a atenção dividida entre essa mulher eufórica ao seu lado, que falava com paixão sobre poesia, e dúvidas que percorriam sua cabeça sobre o que fazer. Ele realmente amava fazer poesia, mas descobriu tardiamente que não dava dinheiro suficiente nem para ele, disposto a viver com pouco. Para Carrano, escrever poesia era uma necessidade tão natural quanto a fome. Sandra aparentava ter vontade de comer.

Mas comer o quê?

41+

Edilene se esbaldava com as histórias de Sandra. Era fator determinante para o humor dela na jornada de trabalho. Nos últimos dias, estava com sua tromba à vista. Sandra estava obviamente deixando de contar alguma coisa para ela. Sandra estava feliz por algum motivo que não queria dividir. A confiança entre ambas tinha sofrido uma mudança que desagradava Edilene.

As tarefas de Edilene também sofreram alterações. Edilene agora cuidava de marcar os compromissos de Sandra e tinha uma agenda paralela à da chefa. Até o ano passado, Sandra era quem gerenciava seus próprios compromissos. Há alguns meses, era Edilene que tinha de avisar à diretora sobre os afazeres meia hora antes, quando não com dias de antecedência para tarefas que demandavam mais preparação prévia. Sentia que a parceira estava distraída e tinha um segredo. Morria de curiosidade para saber qual era. Aceitaria tranquilamente novas incumbências se Sandra revelasse o que a deixava leve.

Seguramente, não era Felipe. Edilene estava encarregada de monitorar as atividades do rapaz nas redes sociais. Outra tarefa nova e recente. Sandra delegou isso por temer ser descoberta vendo o perfil de seu ex-estagiário. Isso poderia dar processo. Muitas outras coisas também, mas a espionagem ostensiva na internet poderia ser uma prova. Ao menos foi a desculpa que deu para Edilene estar atenta a cada mensagem postada por Felipe. Sandra nem mencionava mais o nome do ex-amante. Matava sua curiosidade ao se acercar de Edilene, soltar um "eeeeeee" com uma expressão meio estranha para a secretária começar seu relatório verbal. O último dado relevante obtido por Edilene era que Felipe estava se dando bem em um novo emprego que obtivera e se declarou como "em um relacionamento sério".

— Com quem? — perguntou Sandra.

— Não diz, mas acho que é com aquela colega de classe branquela e com franja lambida que comenta tudo o que ele faz. Te mostrei o perfil dela um dia desses.

— A caipira?

— É.

— E já de relacionamento sério? Tão rápido? Bom para ele.

Depois disso, os "eeeeeeeeeeeeee" com cara estranha cessaram. Sandra não queria mais saber de Felipe. Queria que ele sumisse junto com as lembranças. Apesar disso, Edilene não foi desligada da tarefa de monitoramento.

Alguma coisa tinha mexido até no jeitão da sua chefa-ex-inconfidente beber. Dava para notar que ela tinha aprendido a ingerir álcool tal uma expert. Ficava de ressaca, mas disfarçava muito bem. Nada de óculos escuros e escarcéu. Tomava um chá verde e já estava pronta para outra. Profissional.

Edilene captava os sinais, montava um quebra-cabeça, mas queria ouvir a história toda, com começo, meio e fim da boca da parceira. No período antes da notificação, quem teve de pagar o pato pela cara de bunda da secretária foram os colegas. Tiveram de lidar com a rabugice feroz da secretária responsável por tarefas simples, porém essenciais, como pedir para o departamento de Tecnologia da Informação (TI) da empresa dar um jeito nos computadores que não se conectavam à internet.

A carranca veio abaixo e foi trocada por uma felicidade de criança brincando de pular poça d'água quando Sandra marcou uma conversa na sala de reuniões com

Edilene. Lá, a diretora contou a história toda para a secretária. A partir daquele momento, Edilene passou a saber que sua superior estava saindo com um intelectual. Não era uma completa surpresa. Desde sempre, sabia que tinha homem na jogada.

Ela era a que melhor conhecia as necessidades da diretora. Na vila onde morava, diriam que Sandra está constantemente em busca de um PA (Pau Amigo). Certa vez, Sandra usou a sigla no refeitório da empresa com uma colega de trabalho, que entendeu se tratar de "Progressão Aritmética". Diálogos entre morro e asfalto tinham esse tipo de dificuldade.

No dia anterior, Sandra não viera recepcionar potenciais investidores estrangeiros porque estava passeando em uma exposição no museu estadual. Soube que ele gostava de surrealismo e lá marcaram um encontro. Trocaram ideias fascinantes sobre nomes obscuros, de fonética intrigante, mas que pareciam sumamente importantes.

— Posso cuidar das suas duas agendas: a profissional e a dos compromissos com o novo peguete — ofereceu a obediente Edilene.

Mais importante que os passeios, depois da conversa Edilene se inteirou que os dois já chegaram na fase dos beijos e carícias. Escondidos. Sandra não era adepta do que ela chamava de PDA, sigla em inglês para demonstração pública de afeto. Sandra citava a sigla com a pronúncia em inglês. Pí-Dí-Êi ou não, Edilene sabia que era questão de tempo até esse relacionamento avançar até a próxima fase.

Porém, Sandra não mostrou nenhuma das frases "geniais" (palavras de Sandra) dele. Parece que ele tinha parado de produzir recentemente.

Edilene deu pitaco:

— Quem sabe faltava você pra ajudar ele a escrever de novo. — Tradicionalmente, esse tipo de comentário tosco-romântico de Edilene era repelido por uma careta pragmática de Sandra ou uma frase seca. Dessa vez, houve como resposta um suspiroso "pois é", enquanto Sandra olhava para o nada.

Contar para Edilene ajudou a despressurizar Sandra. Agora, a secretária ajudava nas maquinações para fazer compromissos fictícios a fim de deixar Sandra livre para amar. Edilene iria operar com duas agendas: uma real e outra fictícia, cheia de supostas reuniões.

— Qualquer dia desses, a gente marca um jantar. **Nós duas e nossos respectivos digníssimos** — disse

Sandra, deixando Edilene nas nuvens. Edilene passaria os dias seguintes imaginando o que vestir e consultando discretamente *sites* de restaurantes. Maquiagem caprichada também para vir trabalhar, tal qual a diretora. Seria uma saída como amigas, de verdade.

A secretária, casada há 12 anos com um experiente motorista de uma empresa de entregas, passaria a cuidar da etiqueta de seu digníssimo, que ainda cortava a massa e comia pizza com *ketchup*. Logo que chegara na cidade, Edilene também achava essas atitudes corriqueiras e naturais. Mas, com o passar do tempo, aprendera que isso era malvisto na metrópole.

Porém, Edilene nunca iria com Sandra a nenhum desses restaurantes, pois não tinha como sacrificar 15% de seu salário pela conta do jantar.

42a

Rolhas de vinho atiradas no piso do apartamento de Sandra, que caminhava incessantemente com o telefone de linha fixa sem fio para lá e para cá. O dia em que passou três horas pendurada com Carrano no telefone entrou na cota dos 4% mais particulares de Sandra.

Eles combinaram um horário. Ansiosa, Sandra ligou meia hora antes. Era o número de um orelhão. Pediu desculpas à senhora que atendeu e foi se servir com mais vinho. Ébria, foi vestir a calça jeans que mais lhe favorecia. *Para fazer uma ligação você está se vestindo assim?*, dizia uma voz em seu subconsciente, que logo era calada pelas lembranças de sábias palavras escritas por uma dádiva divina em sua agenda:

De linho e rosas brancas vais vestido,
Sonho virgem que cantas no meu peito...
És do luar o claro deus eleito,
Das estrelas puríssimas nascido.

Por caminho aromal, enflorescido,
Alvo, sereno, límpido, direito,
Segues radiante, no esplendor perfeito,
No perfeito esplendor indefinido...

As aves sonorizam-te o caminho...
E as vestes frescas, do mais puro linho
E as rosas brancas dão-te um ar nevado...

No entanto, ó sonho branco de quermesse!
Nessa alegria em que tu vais, parece
Que vais infantilmente amortalhado!

TOUCHÉ!, berrava Sandra mentalmente para o seu inconsciente. Iria se vestir como quisesse. E beber mais uma taça.

Quando finalmente chegou o momento da ligação, não tinham muito o que falar. Ouvir a respiração de Carrano era o suficiente para Sandra desencadear conversações profundas com ela mesma.

Afastando a maldição do pensar, recolheu uma rolha do chão. Levou até a cozinha e acendeu uma boca do fogão para queimar a cortiça. Vagarosamente, Sandra começou a pintar o polegar esquerdo de sua mão, enquanto segurava o aparelho telefônico entre o ombro e a orelha. Sentia que estava trocando sua pele branca por outra negra. Arrancando uma casca.

— O que você está fazendo? — perguntou Carrano, do outro lado da linha e a quilômetros de distância. Sandra soltou um leve suspiro, ao mesmo tempo em que sorria com a sua travessura. Não tinha de provar nada para ninguém, não tinha de atuar. Podia fazer o que bem entendesse ali. Continuou se pintando.

— Eu posso ajudar? — voltou a questionar Carrano, cerca de dois minutos depois de receber o silêncio como resposta. Sandra sentia que a rolha não pintava, mas sim revelava uma pele negra embaixo de sua casca branquela.

— Eu posso te ajudar. — Agora era uma afirmação de Carrano, que não imaginava que Sandra já estava em frente ao seu caro espelho do banheiro.

— Só os bêbados se enxergam, né? — finalmente falou Sandra, depois de 15 minutos de silêncio. Carrano riu.

Sandra despertou no dia seguinte com a cara pintada como se fosse uma índia. Era bom testar os limites dos 4%.

42b

Arromba um carro, canta pneus e foge a toda velocidade em meio a uma saraivada de tiros que pareciam vir de todos os lados. Tinha pouco tempo para escapar antes que a polícia o cercasse completamente e o matasse sem dó. Era preciso calma e agilidade nos dedos.

Binho estava disposto a ir às últimas consequências em seu jogo de *video game*, que simulava ações espetaculares. Até que ouviu o portão de casa abrir e apertou *Pause*. A adrenalina se congelou, dando a deixa para Binho destrancar a porta para tomar um susto. Hoje seu tio estava acompanhado. E justo hoje, quando seu nível de bagunça estava altíssimo. E a fase em que estava no *game* era tão difícil...

Binho desligou a TV, mas não o *video game*. Pegou do piso o copo com resto de achocolatado em pó no fundo e colocou na pia, endireitou o tapete, mas foi pego em flagrante quando tentava tirar com uma faca os restos de uma vela derretida na mesa de jantar.

— Binho, essa é a Sandra — iniciou Carrano.

— Oi, desculpe a bagunça — seguiu Binho, dando um aperto de mão firme em Sandra. — Pode se sentar no sofá que eu já arrumo tudo.

Sandra obedeceu, muda diante da atitude rígida do garoto naquele contexto. Gostaria de ter dito algo como "não precisa" ou "não se incomode", mas na realidade estava estupefata com toda aquela pobreza. O sofá tinha um rasgão que expunha a espuma, além de mofo. A fiação da casa estava exposta. Havia poucas janelas, o ar parecia rançoso. Da sala era possível ver a pia cheia de louça suja.

Sandra mencionava no dia a dia de seu trabalho as "pessoas em situação de vulnerabilidade social", mas aquilo era pobreza mesmo, crua. A marketeira iria finalmente entender na prática o que o departamento de responsabilidade social da empresa fazia. A magia da agenda, felizmente, continuava impecável. Estava sob um escudo mental para encarar a situação por ter lido horas antes o seguinte:

Parti, coração, parti,
navegai sem vos deter,
ide-vos, minhas saudades
a meu amor socorrer.

Em o mar do meu tormento
em que padecer me vejo
já que amante me desejo
navegue o meu pensamento:
meus suspiros, formai vento,
com que me façais ir ter
onde me apeteço ver;
e diga minha alma assi:

Sandra aceitou o desafio.

43

Passado um tempo, Sandra e Carrano fumaram no pátio da casa em duas cadeiras de praia num final de tarde. De vez em quando, passavam pelas ruas vizinhos que voltavam da jornada de trabalho. Alguns saudavam Carrano. Bucólico tal uma cidade interiorana, mas ainda estavam nos limites administrativos da metrópole. Curioso, as pessoas que moram no centro parecem não enxergar a periferia, mas a periferia tem o centro sempre em conta. O miolo de prédios do núcleo da cidade era um motor ruidoso, cujo óleo para fazer funcionar vinha de bairros como esse em que Sandra estava.

Ela não colocava um cigarro na boca havia seis anos, mas sentiu que aquele era o momento adequado para acender tabaco, melhor maneira de suspirar já inventada.

O assunto girou em torno de Binho, que fizera rapidamente o dever de casa e já fora para a casa de um amigo. O pai do garoto estava preso, cumprindo pena por tráfico de drogas. A mãe sumiu logo depois da prisão em flagrante, abandonando Binho. O relato ainda tinha pitadas de violência infantil. Sandra imaginava que o sensacionalismo dos jornais tinha um tanto de invencionice. Mas aquilo era a dura realidade que não chegava para quem fica no centro da cidade.

Tudo foi narrado por Carrano em tom de voz corriqueiro, como se relatasse o resultado de uma partida de futebol ou uma receita que aprendera há alguns dias. Sandra tentou não aparentar surpresa com aquilo tudo.

— Assim se formou o mais forte Gremlin do Binho.

Sandra ficou em silêncio, tentando entender o que Carrano tentava dizer. Não queria parecer burra, mas dessa vez não teve jeito:

— Gremlin? Como assim?

Carrano fez uma pequena pausa dramática. Um poeta de botecos desenvolve a retórica na marra e não custava nada demonstrar um pouco dessa habilidade para Sandra.

— Bom, em primeiro lugar esqueça as bobajadas que inventaram nos filmes. Gremlin é uma maneira de dar forma ao que te freia, ao medo. Aos sentimentos ruins, de maneira geral. A partir do momento em que você imagina esse monstro, não importa de qual forma, fica mais fácil lidar com ele. Digamos que você está fazendo uma dieta e... — Ops, campo minado para a rechonchudinha Sandra. Carrano pega um desvio. — Digamos que você quer passar a dedicar mais tempo a ler livros. Aí uma amiga te liga e você fica conversando por um tempão mais do que o necessário, sobre abobrinhas. O Gremlin te atacou. Não que seja necessariamente a sua amiga, mas é um obstáculo que poderia vir de qualquer lugar. Até das coisas. É também aquela máquina de Xerox da papelaria que está em manutenção justamente quando você precisa tirar uma cópia do RG. Talvez você o veja como um diabinho sussurrando no seu ouvido, ou sei lá... um palhaço.

— Não gosto de palhaços. Como você sabe? — De novo, ele demonstrava que a conhecia de muito tempo. Carrano sorriu.

— Muita gente não gosta. Mas não importa, esse exemplo é até tolo. Um Gremlin pode provocar efeitos muito piores, pode deixar o cara zureta da cabeça. Quando um Gremlin ataca, as coisas acontecem muito rápido se você não está preparado. As pessoas podem perder o controle. O segredo é se preparar.

Tudo fazia muito sentido para Sandra, que identificou várias passagens de autossabotagem em sua vida. Desde relacionamentos inúteis (Felipe e surfista neste ano, tantos outros nos anos anteriores) a consumismos desnecessários que só a faziam perder dinheiro. O senso empreendedor de Sandra despertou. Carrano usara até a palavra "zureta", ótima para fazer um *slogan* daqueles.

— Você já escreveu sobre isso?

◆

Sandra pensava em cifras da campanha de lançamento das obras de Carrano quando uma visão do passado interrompeu o raciocínio. Ela caminhava para encontrar o poeta em um bar do centro da cidade, quando viu que ele estava conversando com Zeta, o velho pajé da tribo das atrizes doidas da faculdade. E como estava velho aquele homem, outrora tão sexy. As noitadas pareciam marcadas naquele rosto, que não lembrava em nada o núcleo da aura de atração que conduzia por onde passava.

— Eu já estava indo embora mesmo, já peguei o que tinha de pegar com o grande poeta — sorriu. — Sandra, que bom te rever. Vamos marcar de conversar qualquer dia desses. — Beijinhos, Zeta se afasta.

— Da onde você conhece o Zeta?

— Ah, eu conheço toda a malucada da cidade. A gente sempre troca uma ideia. Ele quer voltar a escrever pra teatro.

— Um brinde a isso — propôs Sandra, batendo seu pequeno copo de vidro com cerveja no do poeta e já imaginando que Carrano poderia ser o novo rei de toda aquela juventude desmiolada, assumindo o lugar que no passado foi de Zeta.

Durante o gole, Sandra rodopiou seus olhos pelo ambiente. Que malucada. O bar parecia atrair pessoas que pareciam saídas de filmes de ficção científica. Os outros também deveriam pensar o mesmo de Sandra com seu esfarrapado namorado — de mãos dadas, dando beijinhos e fazendo carinhos em público sem problema nenhum.

Sandra estava bem e sentia que não devia nada para ninguém.

Pepê estava com cara de espanto. A tal teoria Gremlin o impactou, ao que tudo indicava.

Sandra queria a opinião sincera de seu velho professor naquela manhã. Trouxe uns papéis amassados que constituíam notas, mas dificilmente fechavam um texto.

O professor tergiversava, mas não dava seu veredito se era bom ou ruim, para o desespero de Sandra, que imaginava um livro capaz de ajudar muitas pessoas afetadas por problemas de autossabotagem. Uma solução para centenas de milhares de pessoas, e Sandra não precisava de pesquisa de opinião para saber disso. A diretora bem que tentou apelar para o pragmatismo, afirmando reconhecer que isso poderia ser uma forma de autoajuda, mas que "tinha valor literário também e poderia ajudar muitas pessoas". O professor começou a falar da definição de autoajuda, o que fez Sandra olhar para cima — sinal de que detectara a enrolação.

Pepê foi salvo por um problema ainda maior, que seria introduzido por uma esbaforida Edilene. Em raros casos ela interrompia conversas na mesa de Sandra.

— Depois a gente continua falando disso — escapou Pepê da última conversa com sua ex-aluna na posição de diretora.

— Atenda o telefone — rogou Edilene, dando a deixa para Pepê se retirar de fininho. Não queria nem tomar conhecimento do que fazia os olhos de Edilene ficarem tão arregalados.

Geralmente, a física daquele departamento determinava que, sempre que Edilene se mostrava ansiosa, Sandra explodiria algumas dezenas de segundos depois, para em seguida sobrar bronca para todo mundo à volta — fosse do cargo que fosse. Apesar do afastamento da cena, logo Pepê e todo o prédio saberiam do que se tratava.

— Abra a coluna do Barbosa de hoje — pedia Márcia, a funcionária mais dedicada de Sandra, pelo telefone. — Olha só, olha só.

Edilene via o diálogo telefônico de longe.

"A outra escandalosa da Germano" era o título da coluna, que dedicou cerca de 1.500 caracteres e uma foto para falar da diretora de marketing da Germano, uma mulher que não só reconhecia o potencial destrutivo de *Miss* Gluck (houve uma queda evidente nas matrículas do ano por causa dela) como também era dona de seus próprios escândalos. Havia mantido relações com um estagiário, chegava tarde no trabalho ultimamente e perdeu a condução de várias campanhas publicitárias da empresa, que não tiveram o êxito das anteriores. De quebra, uma insinuação de riqueza ilícita por causa de seu "enorme apartamento" e "carro do ano".

— Márcia, eu te ligo depois. — Pelo tom, Márcia entendeu que alguém ia ver o lado mais temível de Sandra.

— Você pode me explicar o que diabos é essa coluna de merda sua?

— Eu tentei te ligar, Sandrinha, mas só deu caixa e o pessoal da assessoria de imprensa não quis falar, querida.

— Mas como assim? Há quantos anos eu converso contigo?

— Há quantos anos você não conversa comigo, né, benhê? Mas olha, fica tranquila que... — Blá-blá-blá. Sandra foi fritada. Publicamente, na mídia. Com esse golpe, não ia dar nem para procurar emprego na mesma área.

Pilantra, safado, filho da puta. Colunista de merda, traidor. Sandra não queria ouvir mais Barbosa. Desligou na cara do fofoqueiro. O pior de tudo era que cada frase estava correta, apesar do veneno. Até o ano em que Sandra começou a trabalhar na GT estava preciso.

Primeiro tinha de identificar a origem daquele vazamento. Vejamos, vejamos... fácil deduzir que era Felipe. Ninguém mais teve tanto acesso à vida privada dela. Com alguns toques no celular, busca o telefone do seu ex-estagiário. O aparelho ainda exibe uma foto dele, tirada durante uma reunião em sua casa. Crápula. Sandra não liga, mas sabe que a hora dele irá chegar.

Sem perceber, os subordinados estavam à sua volta, tal qual uma reunião onde ela geralmente traria salgadinhos para dar uma quebrada no gelo e fazer o pessoal trabalhar com mais gosto. Mas não. Dessa vez, não havia nada para aliviar a pressão.

Uma reunião de emergência do conselho da empresa, conforme já era esperado por Sandra, foi marcada. Sandra já conhecia esse roteiro. Abriu o editor de texto do seu computador da GT pela última vez.

◘

Sandra chegou 15 minutos antes do horário para a reunião, que já havia começado há uma hora. Sandra se sentou, diante do pesado silêncio. Pepê não estava na reunião. Melhor.

— Sandra, você sabe bem que... — disse um dos mais antigos membros do *board*.

— Pode deixar, eu facilito as coisas pra vocês. Eu me demito. — Distribuiu cópias de uma carta de demissão. O semblante dela era duro, sua face estava enrijecida. — Márcia Alves, uma das mais competentes funcionárias do departamento de marketing, já está se encarregando de fazer um comunicado à imprensa sobre o meu desligamento. Ela naturalmente enviará cópias aos senhores antes de disparar para o *mailing*. — Após distribuir a última cópia da carta de demissão, Sandra se dirigiu à saída. Já com a mão no puxador da porta, deu uma última olhada nos diretores. Teve um *flash* relembrando as brigas, as exibições de polpudos resultados, a briga de egos que impregnava o ambiente... era hora de partir.

Os diretores leram no texto de Sandra protocolares agradecimentos a todos e o reconhecimento de erros que cometera. A carta vazaria para a imprensa dias depois, mas ninguém da grande mídia quis publicar — a não ser alguns *blogs* menores.

Alguns membros do conselho que gostavam do estilo de Sandra esboçaram um "espere um pouco", mas era inútil. A situação dela estava insustentável.

No caminho para o estacionamento, Sandra ligou para Márcia.

— Oi, Márcia? É a Sandra, tudo bem? Muita informação na coluna publicada hoje é sua, né?

A agora ex-companheira de trabalho pediu mil desculpas. Disse que não sabia que estava dando uma entrevista quando Barbosa Neto ligou. Sandra encurtou o papo quando Márcia tentou oferecer ajuda para "qualquer coisa".

Não foi surpresa constatar que seu crachá já não abria a cancela da garagem. Pediu para um segurança amigo abrir, alegando que sua identificação estava com defeito. Sandra saiu do prédio sem passar antes por sua mesa para recolher suas coisas — teria de o fazer escoltada por seguranças, uma humilhação que não parecia valer a pena naquele momento.

●

Havia certo prazer em fazer trabalhos manuais. Os dedos grossos de Carrano já levaram marteladas, queimaduras e, de vez em quando, empunhavam uma caneta para escrever seus pensamentos. Mas o prazer de trabalhar em pequenos objetos era único.

O afã artesão de Carrano é subitamente interrompido por batidas fortes na porta. Com movimentos rápidos, ele esconde tudo em um armário. Toc, toc, toc, com ainda mais força. Já era, a casa caiu, pensou. Mais batidas. Não há escapatória.

— Já vai — disse Carrano, enquanto esfregava as mãos com água e sabonete. Vai até a porta e respira aliviado ao ver Sandra. Enche-se de preocupação ao perceber que ela está com cara de quem chorou litros.

A frase "o que houve?" foi a deixa para Sandra voltar a encher seus olhos de lágrimas. Agora, a mão de Carrano se ocupava de outra *manualidade*, afagar a cabeça de Sandra, encostada em seu colo.

— Meu Gremlin está muito forte, ainda estou fraca para enfrentá-lo. Queria ser tão forte quanto você, aprender com você.

Carrano entendeu e aceitou que Sandra ficasse por um tempo morando ali.

Fazia semanas que Sandra não dormia com alguém só abraçada. Sentia que a conexão com Carrano ia além da carnal e estava sinceramente feliz com isso. Estava disposta a largar tudo pelo primeiro projeto em que acreditara de verdade em sua vida.

49

O encarregado de recolher as coisas de Sandra foi o velho Pepê. Ninguém no escritório se opôs. A saída de Sandra ainda pesava naquele ambiente, que mudou de um caos regido por uma mulher explosiva e saliente para um tom sorumbático.

Uma das fotos era de Sandra e Pepê durante a universidade. Que aperto no coração ver aquela garota sorridente e esforçada, apesar de temperamental, tendo de sair daquele jeito.

Tudo era colocado em uma caixa de papelão com cuidado e zelo. Não conseguia discernir o que era importante do que era desimportante, o pessoal do profissional. Na dúvida, Pepê metia para dentro da caixa, que já ficava pequena. Era uma das poucas pessoas que conheciam o hábito de Sandra de fazer enumerações malucas, que começavam com números romanos, terminavam em arábico e, não raro, continham itens em códigos alfanuméricos. De vez em quando, um item 7 parecia juntar dois tópicos. Sandra imediatamente saltaria o número 8 e seguiria sua listagem com o 9. O movimento contrário também acontecia: quando uma anotação parecia, de repente, englobar dois números, passava a ser "3 e 4", por exemplo. Mas isso era o que Pepê intuía por ter convivido por anos com Sandra. A lógica exata desse sistema caótico era indecifrável a todos que não fossem a própria Sandra.

Na segunda gaveta, Pepê encontrou a inseparável agenda de Sandra, que em seus últimos dias parecia estar sendo ignorada, dado os atrasos e faltas dela. Nos anos anteriores, o caderno também era mais conservado — esse parecia ter passado por maus bocados.

Pepê não queria ser enxerido, mas não pôde evitar abrir o caderno e perceber que aqueles rabiscos não eram de Sandra. Se fossem, era mais um indício de que a mudança dela era ainda mais profunda, chegando a nível patológico.

Mas não, aquilo evidentemente não era Sandra. Augusto dos Anjos ainda era um grande escafandrista da alma humana.

50

Conhecido por sua valentia e golpes acrobáticos, Ryu nunca teve um desempenho tão ruim em uma luta quanto nas mãos de Sandra. Em 14 segundos, Binho a venceu em uma partida de *Street Fighter*. Ela fez o sacrifício de empunhar um *joystick* para puxar conversa com o garoto, que parecia na verdade ter se incomodado com o convite para lutar com Sandra. Pelo menos, houve um início de diálogo entre eles.

— Certa vez, meu tio teve de se explicar pra polícia depois que um grupo de amigos pichou vários muros do centro com frases dos poemas dele.

— É mesmo? — disse Sandra, surpresa e já tentando encaixar uma ação de marketing de guerrilha para promover o futuro *best-seller* de Carrano.

— Pois é. Na delegacia, os jovens apontaram o tio como o cara por trás dos ataques. Levaram ele algemado para a delegacia. Fui com ele. Acho que eu ajudei a convencer o delegado de que ele não faria mal a uma mosca. Claro que o policial não perdeu a pose e fez mil ameaças caso o tio fizesse coisa errada. Mas nunca mais picharam os poemas, então...

Arte urbana poderia ser uma EX-CE-LEN-TE forma de divulgar a poesia. Inovadora, polêmica. Provavelmente, seria processada por algum órgão de ética publicitária, mas isso iria gerar mais divulgação. Sandra estava convicta de que sua demissão fora um sinal para ela se dedicar a uma missão maior: fazer de Carrano um sucesso.

Mentalmente, já tinha o plano. Primeiro faria um *site*, apresentaria aos influentes da internet, faria postagens constantes, curtas e modernas dos pensamentos e poemas. Ganharia público. Gravaria vídeos dele declamando os poemas. Carrano fala bem em público? Provavelmente, sim. Na dúvida, contrataria um *coach* para dar umas dicas e afinar bem as falas. Sem dúvida, os jovens se sentiriam tocados pelas palavras. Aí então arranjaria uma editora facilmente. Lançaria um livro sem dar entrevista para a grande mídia, que ficaria babando de vontade de tê-lo. Aura de mistério cria muito interesse. Apenas pequenas revistas e fanzines teriam a chance de conversar com a celebridade. Já não dispunha de uma equipe de pesquisas, mas algumas conversas com certos agitadores culturais bastariam para gerar um ciclo virtuoso. Um ano depois, quando o *hype* de Carrano estivesse lá no alto, negociaria uma exclusiva com algum canal de TV. Nessa fase, já poderia pensar em rentabilizar com produtos. Pôsteres com trechos dos poemas, canecas com o rosto dele de um jeito estilizado, bótons, quadros e...

Os devaneios foram interrompidos pelo chamativo celular de Sandra. Não iria atender. Mas olhou no identificador de chamadas e notou que era importante. Pediu desculpas a Binho.

— Eu tenho de atender essa ligação.

Sandra foi para o pátio.

— Fala, Pepê. Eu estou ótima. Olha, nada como respirar novos ares, viu? Acho que esse é um mal que veio pra bem. Estou com novos projetos e tocando a vida. E você, tudo bem?

— Tudo, querida. Sandra, eu recolhi suas coisas da sua mesa.

— Ai, que ótimo. Qualquer dia eu passo aí pra buscar.

— Inclusive, eu estou com a sua curiosa agenda.

Ele leu? ELE LEU? Será que gostou? Uau, ter a aprovação de Pepê seria genial para consolidar a volta por cima de Sandra e dar a Carrano um empurrão inicial. Poderia usar alguma declaração elogiosa dele na publicidade? No prefácio do livro, talvez? Isso com certeza garantiria boas vendas entre os alunos do velho. Sem contar que seria uma forma de mostrar à mídia especializada que Carrano não está para brincadeira. É coisa séria e profunda. Sandra mudou de planos.

— Você está em casa? Eu posso ir aí agora buscar minhas coisas, se você não se importar.

— Venha — respondeu Pepê.

No *hall* de entrada do prédio, uma pintura com linhas negras e retas que formavam quadrados coloridos com cores primárias chamou a atenção de Sandra. Quando Pepê apareceu do elevador com uma caixa de papelão nas mãos, viu sua ex-aluna em um raro momento de apreciação de arte.

— Gostou?

— Ah, oi, Pepê. — Sandra interrompeu a contemplação do quadro para saudá-lo. Queria abraçar o ex-colega de trabalho, mas lembrou que nunca tinham tido essa abertura antes. Melhor não. — Gostou do quê?

— Do quadro que você estava vendo, absorta.

— Sim, combina com a decoração. Seu prédio é elegante.

— É uma reprodução de um Mondrian. Uma cópia que comprei na feirinha do centro e doei para o condomínio.

— Cópia? Nossa, por que você não fala para o síndico comprar logo o original? Acho que vale a pena, hein? É tão bonito.

Pepê tentou disfarçar um sorriso. Sandra sabia que deveria ter feito um comentário tolo. Claro, ela nem desconfiava que uma obra original daquelas retas custava muito mais caro que o apartamento de Pepê.

Pepê havia acondicionado as coisas de Sandra em uma caixa de papelão de uma forma que só as pessoas ordenadas conseguiriam. Estava tudo encaixado e compacto. Mas a agenda não estava ali.

— Cadê?

— Está lá em cima no meu apartamento... Achei que pudesse ficar uns dias com ela, se você não se importar. Estive lendo alguns trechos. Percebi que não é mais uma agenda de compromissos e eu não pude evitar...

— Fica tranquilo. Mas infelizmente eu vou precisar dela. Você pode ir buscar? Gostou do que leu?

A pergunta exigia uma resposta maior, dentro do apartamento de Pepê.

— Cafezinho ou chá?

◗

O olhar de Sandra percorria irrequieto as estantes da sala. Todas carregadas com quilos de livros. Se Carrano tivesse um livro, como deveria destacar sua lombada? Cores fortes, talvez. Um formato diferente, talvez. Era uma questão que afetaria o desempenho de vendas nas livrarias. O pensamento errático e nervoso de Sandra estava quase chegando na questão da tiragem ideal para a futura *magnum opus* quando Pepê voltou com um chá de boldo para ambos.

— Desde quando você gosta de poesia?

Ele realmente tinha lido a agenda, que voltava às mãos de Sandra. Era hora de saber o veredito. O coração de Sandra disparou.

— Ai, você leu? Não é demais? Sabe com quem eu estou conversando direto? Com o autor desses poemas.

Pepê sorriu. Outra vez parecia que Sandra tinha avançado algum sinal, só que dessa vez não tinha ideia de qual seria.

— O que foi? Você achou ruim, né? — Sandra já estava pronta para receber críticas negativas de grandes intelectuais. Tinha um plano para colocar em xeque os críticos, com uma campanha que destacasse a humildade de Carrano. Quem falasse mal corria o risco de ser tachado de preconceituoso. Quem falasse bem iria constar com alguma frase elogiosa nos cartazes de lançamento do livro. Um afago no ego dos analistas, sempre tão carentes de atenção.

— Não, querida, eu acho ótimo. Fico por um lado muito feliz de saber que você abriu um espaço entre suas leituras técnicas pra se dar o direito de voar. Uma pena que seja impossível você ter realmente conhecido quem escreveu esses versos.

— Não, eu estou falando sério. Conheço o autor e posso te apresentar. Se quiser, claro. Acredite em mim, o cara é genial. Tem umas ideias e umas sacadas que olha...

— Sandra, os autores dessas frases estão mortos. Há décadas.

A cara de Sandra se fechou.

— Mortos?

Pepê sentiu que havia tocado em um nervo. Era o que temia e esperava.

— Acho que fui mesmo um péssimo professor. Me empresta a agenda que eu vou mostrar.

Sandra estendeu de volta a agenda para seu ex-professor. Ele a abriu, marcou a página com um dedo e se dirigiu a uma estante de sua rica biblioteca. Com a outra mão, sacou um livro. Deixou agenda e livro abertos, lado a lado, na mesa de centro.

— Vejamos o que diz aqui, no meio desse fuzuê quase inelegível: "Pulsa-lhe aquele afeto verdadeiro / Que, a despeito de toda a humana lida, / Fez a nossa existência apetecida / E num recanto pôs um mundo inteiro." Isso não soa familiar?

Sandra fez que não com a cabeça, assustada com o ponto aonde Pepê chegaria. Ele voltou os olhos ao livro e leu.

Querida, ao pé do leito derradeiro
Em que descansas dessa longa vida,

Aqui venho e virei, pobre querida,
Trazer-te o coração do companheiro.

Pulsa-lhe aquele afeto verdadeiro
Que, a despeito de toda a humana lida,

Fez a nossa existência apetecida
E num recanto pôs um mundo inteiro.

Trago-te flores, — restos arrancados
Da terra que nos viu passar unidos
E ora mortos nos deixa e separados.

O professor fechou o livro e passou a falar encarando Sandra, sem mais consultar as páginas.

Que eu, se tenho nos olhos malferidos
Pensamentos de vida formulados,
São pensamentos idos e vividos.

Sandra estava calada, detestando o jeito performático e cheio de voltas de Pepê.

— Esse é um dos meus poemas favoritos. De Machado de Assis.

— Machado de Assis?

— Sim. Trata-se de "A Carolina". Infelizmente, ele está morto. Infelizmente ninguém parece dar bola para os versos do grande mestre. Mas isso é outra discussão.

— Eu li *Dom Casmurro*.

— Provavelmente por ter sido obrigada na faculdade ou na escola, certo? Talvez até mesmo por mim. Outro dia eu ouvi você falando... como era mesmo? Algo a ver com esquecimento...

— "Negra lembrança do passado. Lento martírio, lento e atroz. Por que não há de ser dado a toda a mágoa o esquecimento?" — repetiu Sandra, mecanicamente, praticamente de maneira oposta à primeira vez que declamou a poesia em meio a uma discussão com Pepê.

— Exatamente. Isso é Olavo Bilac, esqueceu? Acho que até me lembro de ter te dado essa aula. Deixa eu ver aqui nas velhas apostilas...

O poema "No cárcere" do poeta carioca segue assim:

Por quê? Quem me encadeia sem piedade

No cárcere sem luz deste tormento,
Com os pesados grilhões desta saudade?

Mas esse pedaço não aparecia na agenda de Sandra, que trazia trechos e excertos de obras de alguns dos maiores escritores de versos brasileiros.

Avesso à tecnologia, Pepê arriscou um conselho para Sandra:

— Já tentou pesquisar na internet esses pensamentos escritos na agenda? Não digo que você decore os autores, como eu fiz. Só dediquei parte da minha memória a essa decoreba porque não pude deixar de absorver isso. Mas vale a pena checar antes, certo? Releia essa agenda que você vai ver que a única coisa original nela são seus compromissos.

O tom era duro. Mais ríspido do que quando Sandra caçoou do professor diante da classe. Décadas antes, Sandra fez piada com a forma de Pepê de pronunciar o nome de Victor Hugo, respeitando os fonemas do idioma francês. Pepê ficou nitidamente constrangido com toda a sua classe rindo da sequência de piadas feitas por Sandra. O professor se sentiu desrespeitado sem motivo. Argumentou que em certos casos é normal mudar o jeito de falar o nome de um autor. Os dois jamais conversaram sobre o fato, mas essa lembrança, que voltara feito um foguete na cabeça de Sandra, deixou uma marca em ambos. Um tabu. A gente só esquece o que quer.

Dessa vez, Pepê tinha fúria. Suas palavras pareciam tomar impulso lá daquele ataque gratuito, da época em que Sandra era uma fedelha flexível, para se chocar nessa muralha técnica. As rachaduras na fé de Sandra estavam visíveis.

— Se ao menos você tivesse um pouco, um mínimo de conhecimento sobre estilos de alguns autores brasileiros, como eu tanto insisti, um alerta soaria em sua cabeça. Fosse num livro, você gritaria "plágio". Em uma propaganda sua, poderia servir de homenagem. Em seu dia a dia, seria um bálsamo. Agora, em uma agenda velha, caindo aos pedaços, é claramente um engodo. Provavelmente copiado das primeiras páginas de um livro didático de literatura brasileira organizado em ordem cronológica. Ou de uma coletânea de uma editora vagabunda que só pegou autores velhos em domínio público. Sua crença nessa agenda suja é um acinte contra o que eu sempre insisti para você, para arejar sua cabeça com outras coisas. Sinto que a sua atitude é um deboche contra a minha pessoa.

Sandra não sabia mais dizer o que tinha imaginado e o que era real daquele final de conversa arrasador, que a fez se sentir esmigalhada. Chorou.

Epílogo

No caminho de volta para casa, Carrano viu uma garota com duas sacolas de compras rindo consigo mesma. O sorriso fazia com que os olhos fechassem em algumas passadas. Essa parecia ser a simbolização máxima da verdadeira felicidade. Ela parecia apaixonada ou a relembrar uma anedota fantástica. Carrano cruzou com ela, quando simplesmente brotou:

Sente a pancada
Relâmpagos
Agora chovo

Rá. "*Felizes são aqueles que chovem*", pensou Carrano. Batizaria esse poema de "Cabeça" e desenvolveria em torno desse tema.

O começo de poema era curto e direto. Bem ao seu estilo. Poderia ser o início de um poema maior, mas tinha dado o primeiro e mais difícil passo. O poeta estava novamente feliz e disposto a criar. Só uma pessoa assim conseguia notar belos clichês da vida, como o de pessoas que sorriem sozinhas pelas ruas. Carrano poderia se considerar artista, pois o substrato de sua felicidade se traduzia em frases ricas de significados.

Sabia que Sandra tinha planos para começar uma carreira profissional e esse poema era sua primeira contrapartida. Uma criação nova, inédita e, acreditava ele, com qualidade para as expectativas de Sandra, responsável por uma injeção de ânimo na vida do poeta.

Ao abrir a porta de sua casa, o ciclo virtuoso chegava ao fim. Se deparou com uma Sandra de olhos carregados e úmidos, com uma agenda nas mãos.

— O que houve?

— O que é isso? — Ela mostrou para ele a agenda, disse que havia acreditado que era produção dele, que era toda o mundo dele.

— Não sei. Sua agenda? — replicou com certa doçura.

— As palavras aqui anotadas não são suas?

— Não. Eu nunca escrevi isso e nunca disse que o havia feito — foi a frase correta e precisa do poeta para se defender do livreto aberto e escancarado por Sandra, que reagiu da pior maneira. Obviamente, tinha muita raiva dentro de si e contra si mesma. Burra, estúpida, como foi criar toda essa fantasia? Vontade de chorar mais, soluçar mais e engasgar mais. Mas o que mais chocava Sandra não era a cópia de poetas brasileiros. Era o que ela trazia no bolso direito. Em seus minutos solitários, com a entrada franqueada por Binho, que logo saíra para fazer sei-lá-o-quê, Sandra fuçou no armário de Carrano e encontrou várias *manualidades* feitas com restos de lata de refrigerante e cerveja em formato de cachimbos.

— Acabou — anunciou Sandra, minutos antes de Carrano ser algemado por policiais que invadiram a casa.

●

EX-DIRETORA DE MARKETING DA GT É PRESA EM FLAGRANTE POR TRÁFICO DE DROGAS

Sandra Macedo é suspeita de envolvimento em esquema de venda de drogas no centro da cidade; advogado pedirá sua liberdade.

Por Roberto da Costa, da Redação

A Polícia Civil prendeu na tarde de ontem Sandra Macedo, ex-diretora de marketing do conglomerado de educação Germano Thomas, e um comparsa por suspeita de tráfico de drogas na favela de Litiumópolis, zona oeste da cidade. Segundo a polícia, eles não resistiram à voz de prisão.

De acordo com investigadores do Denarc (Departamento de Narcóticos), a própria Sandra teria chamado o telefone 181 (Narcodenúncia) confessando seus crimes e apontando o envolvimento de Pedro Carrano, arquiteto de um esquema de compra e venda de drogas disfarçado de comércio de poesias.

Cerca de sessenta pedras de crack embaladas em trouxas plásticas e doze cachimbos tipicamente usados para consumir a droga foram apreendidos. Em depoimento, o suspeito teria dito que era "artesanato", mas a ex-diretora teria confirmado que eram cachimbos.

"Suspeitamos de que a dupla faça parte de uma quadrilha. Com certeza se trata de um duro golpe nos traficantes da região", disse o delegado Caco Rislovado, coordenador do Denarc, durante entrevista coletiva. O policial disse que diligências estão sendo realizadas na região para tentar localizar mais suspeitos.

Carrano, de acordo com a denúncia, circulava por ruas do centro histórico da cidade se apresentando como um poeta, mas, na verdade, ele comercializava drogas.

Diversos comerciantes da região, que não quiseram ter seus nomes publicados por medo de represálias de traficantes, foram ouvidos pela reportagem e atestaram a versão da polícia, dizendo que Carrano era "ameaçador".

"Se eu não desse o que ele pedia, era capaz de a coisa ser ainda pior", disse o dono de um bar.

Os dois suspeitos — segundo relatos, tinham uma relação amorosa — foram levados para o CDP (Centro de Detenção Provisória), onde estão à disposição da Justiça.

Um menor de idade que estava sob a guarda de Carrano foi levado para um abrigo. Ele deve prestar depoimento em breve, com a ajuda de assistentes sociais especializados em interrogatórios com menores.

O advogado de Sandra afirmou que iria entrar com um pedido para sua cliente responder ao processo em liberdade por ela ser ré primária e ter se mostrado disposta a colaborar com a Justiça. Ele não quis fazer outros comentários sobre o caso. A defensoria pública ainda não tinha escolhido um representante legal para Carrano.

A reportagem entrou em contato com a assessoria de imprensa da Germano Thomas, mas até o fechamento desta edição não houve retorno.

•

Sandra passava o tempo em sua cela especial para pessoas com diploma (o dela era do GT) vendo TV e pensando. De vez em quando imaginava como estariam Carrano, sua filha, alguma amiga. Mas, em geral, a cabeça de Sandra eram trevas. Confirmou a fantasiosa versão do delegado de que ela era a "rainha" das drogas. O policial queria se promover à custa de Sandra. Ela não se importava.

Chorava sem motivo, apesar de os ter de sobra. Comia pouco. Não queria tomar banho de sol. De vez em quando saía, para tomar soro no ambulatório. E assim, depois de tanta noite, tanto dia, era possível saber mais ou menos que horas eram pela quantidade de luz que entrava pela janela.

O que a fez nunca mais sair daquela jaula não foi ter constatado que sua graduação a diferenciava das demais presas, nem a constatação de que era uma solitária.

Sua filha a desprezava, ninguém para amar, zero amizades — ouviu do advogado que Edilene viria assim que desse tempo, mas não acreditou. Seu último projeto na especialidade à qual dedicou a maior parte da vida e tinha acreditado de corpo e alma pela primeira vez, uma fraude. Nada disso fez Sandra escrever a carta de despedida endereçada "a quem interessar possa". Na verdade, seu texto foi uma resposta a duas outras missivas que recebera.

Uma era um pedido de desculpas mais enrolado do que qualquer outra coisa de Felipe à Sandra. O extenso texto tinha até uma sinceridade inesperada e tocante por alguns momentos.

Felipe contava que estava empregado em uma agência de publicidade na área de criação. Foi efetivado antes mesmo de receber o diploma, o que era sinônimo de que a empresa acreditava nele. Estava ganhando bem e usando uma agenda de papel. Nos dois últimos parágrafos, justificativas e outros assuntos que Sandra não queria nem saber. Prometia visitas e desejava sorte.

A segunda carta que Sandra recebeu era de Binho, que relatava sua vida no abrigo. Estava feliz e esperançoso de um dia ver seu tio e "tia" de novo juntos e livres. Fez uma brincadeira: "faz um dia que ontem foi hoje". Mas, desespero, a letra inconstante de Binho era ainda a mesma usada na agenda de Sandra, que servira para ele como caderno para exercícios de caligrafia.

Barbosa comprou pela primeira vez em anos um jornal de menos de R$ 2,00 por causa da foto de capa com Sandra. Leu as notícias em um fôlego só.

**Autoria dos textos copiados
na agenda de Sandra**

P. 109: Álvares de Azevedo, "Anjos do mar"
P. 111: Augusto dos Anjos, "O morcego"
P. 121: Augusto dos Anjos, "Debaixo do tamarindo"
P. 127: Gonçalves Dias, "O canto do guerreiro"
P. 142: Alphonsus de Guimaraens, "Ismália"
P. 153: Castro Alves, "No álbum do artista"
P. 163: Casimiro de Abreu, "Lembrança"
P. 180: Raul Pompéia, "14 de julho na roça"
P. 189: Cruz e Sousa, "Sonho branco"
P. 195: Gregório de Matos, "A umas saudades"
P. 220: Machado de Assis, "A Carolina"

SOBRE O AUTOR

João Varella é gaúcho de Guaíba. Formado e pós-graduado em jornalismo pela PUCPR, já escreveu reportagens para diversos veículos, entre eles jornal *Gazeta do Povo*, portal R7, *IstoÉ Dinheiro* e *El Economista*. Em 2012, ganhou o 2º lugar no prêmio Sebrae de Jornalismo. Junto com Cecilia Arbolave, venceu o prêmio *Proyectando Valores* 2006 da Câmara Argentina de Anunciantes e escreveu o livro *Curitibocas — Diálogos Urbanos*. Fundou a editora Lote 42 e o site Trilhos Urbanos.